BELGIUM BRUSSELS BELGIUM
Brussels
CHICKEN
Chicken
High Quality
CHICKEN
EXCHANGE
NEW YORK, N.Y.
92380

Albert de Belgique

LES JOYAUX CULINAIRES
DE LA COURONNE BELGE

0
REG.
L'EXQUIS
L'EXQUIS

Albert de Belgique

LES JOYAUX CULINAIRES DE LA COURONNE BELGE

Recettes : Albert Verdeyen - Textes : Marc Van Staen

LANNOO

SOMMAIRE

RW
RW

11

BELEGEN
HASSELTSE
GRAANJENEVER
BELEGEN
HASSELTSE
GRAANJENEVER
Smeets

PURE
The
in Belgium
SINGLE MALT
46% vol

INTRODUCTION

Ce livre, j'en rêvais depuis longtemps. Tous les chefs rêvent d'un jour de dresser le portrait de leur cuisine d'origine. C'est comme un voyage dans le temps. Dans l'espace. J'ai virtuellement sillonné les plages et les dunes, traversé la plaine flamande et transpiré sur les côtes ardennaises, arpenté les grandes places de nos grandes villes et traversé les verts pâturages. Patiemment, j'ai noté, compulsé, croqué, dégusté, listé, feuilleté, consulté. C'est un peu un travail de bénédictin que j'ai entrepris. Je ne me rendais pas compte de la tâche énorme, de la besogne que ce matériel abondant allait me donner. J'ai comme l'impression d'avoir visionné dix mille assiettes. Non d'avoir avalé leur contenu, mon Dieu non. Mais d'avoir joué à l'observateur, à l'aventurier parti à la découverte d'une culture, d'un patrimoine. Des traditions de bouche d'un pays naissent les plus grands et les plus beaux souvenirs de ceux qui la (re)découvrent. Je suis fier de mon pays et de son savoir-faire en cuisine. C'est le grand Alain Ducasse qui me demandait un jour si je savais pourquoi en Belgique, les grands chefs français comme lui ou Paul Bocuse n'ont pas installé de succursales. Devant mes yeux ronds, il m'a répondu : « Parce qu'en Belgique, vous avez déjà tout ce qu'il vous faut. » Quel plus beau compliment peut-on nous faire ? Venant de ce grand chef, il n'en prend que plus de poids. La Belgique s'appuie sur des plats, des recettes, des produits de grande qualité. Des plats ambitieux ou non, des recettes complexes ou pas, des produits nobles ou quotidiens, mais qui toujours s'inscrivent dans la logique simple, sans fioritures, de la saveur pour la saveur. Pas de forfaitures culinaires. Aucune imposture gustative. Rejetées les expériences laborantines. Le goût ! Rien que le goût !

Ayant capitulé devant les sirènes du marketing littéraire, je prie notre Souverain de bien vouloir me pardonner pour ce titre d'emprunt. Mon prénom est le sien et mon pays est le sien. Qu'il n'y voie donc aucune prétention de ma part. Je n'ai aucune ambition royale. Ma cuisine est mon royaume.

Albert Verdeyen

REMERCIEMENTS

Je tiens à remercier les très nombreuses personnes qui, aux quatre coins de notre pays, ont été contactées dans le cadre de ce projet et ont démontré leur intérêt, voire leur passion pour leur région et ses produits.

Je suis incroyablement reconnaissant à mon ami Éric Senden pour les inestimables carnets de cuisine de son arrière-grand-mère Pélagie Daune-De Stoop, cuisinière et cordon-bleu au service de la comtesse d'Oultremont, au château de Xhos.

Il me les a transmis en toute confiance et je m'y suis plongé avec la ferveur d'un archéologue découvrant une tombe pharaonique intacte.

Ces carnets d'un autre temps (fin dix-neuvième, début vingtième), calligraphiés, dégagent lorsqu'on les ouvre une émotion magnifique. Un supplément d'âme anodin et nostalgique peut-être, mais au-delà de leur valeur historique et scientifique, il s'agit tout simplement d'un cadeau royal.

Merci Éric.

« Mes recettes ont la prétention d'être simples. »
Albert Verdeyen

À Charlotte et Rosanna, pour leur patience face à la charge que peuvent représenter parfois nos projets d'enfants insouciants.
Albert et Marc

0
REG.

BRUXELLES

Il y a à Bruxelles et dans ses communes une multitude de restaurants dédiés à la cuisine internationale. Japonais, thaïs, libanais, brésiliens, congolais ... tous les continents sont représentés. On pourrait y faire le « tour du monde en 80 fours ».
Ville-région de la convivialité, cité cosmopolite et capitale européenne, Bruxelles n'en reste pas moins profondément attachée à ses traditions culinaires.
La gueuze, les frites, les choux, les chicons, le filet américain, le chocolat restent ancrés dans les habitudes et s'imposent jusque dans les repas gastronomiques offerts à nos visiteurs étrangers.
En 2012, Bruxelles fête la gastronomie et la gourmandise avec un événement baptisé Brusselicious, qui met à l'honneur les produits, les parcours culinaires, le boire et le manger autour d'une thématique ambitieuse, mais dont la philosophie n'est jamais très loin de Quick et Flupke.
Le Tram Experience représente un exemple type de ce surréalisme cher aux habitués de la Feuille en Papier Doré.
Entre projet culinaire design de haut vol et nostalgie du « chocolaten-tram », on aspire ici au respect du confort des âmes dans la recherche du niveau suprême des mise-en-bouche.
Bruxelles brusselait et continue de brusseler ...

GAUFRES DE BRUXELLES

5 œufs
500 g de farine
500 ml de lait
300 g de beurre
300 ml d'eau tiède
25 g de levure de boulanger
10 g de sucre fin
sucre impalpable
sel

Versez la farine dans un récipient en verre puis ajoutez-y le lait, le sucre fin, la vanille et les œufs.
Fouettez le tout afin de lisser la structure. Diluez la levure dans l'eau tiède et incorporez-la à la pâte en mélangeant énergiquement.
Faites fondre le beurre dans une casserole. Ne laissez pas brunir trop. Ajoutez-le à la pâte.
Mélangez à nouveau l'ensemble énergiquement, couvrez et laissez reposer une petite demi-heure avant de mettre au four à 40 °C durant environ 25 minutes.
Entretemps, faites chauffer votre gaufrier. À la sortie du four, versez la pâte dans le gaufrier et retournez-le après 20 secondes.
Saupoudrez de sucre impalpable.
Vos gaufres sont prêtes lorsque plus aucune fumée ne s'échappe de votre gaufrier.

BODDING (PUDDING DE PAIN BRUXELLOIS)

300 g de vieux pain, sandwiches (pains au lait) ou croissants
0,5 l de lait
200 g de sucre blanc
2 œufs
1 dl de crème fraîche
1 sachet de sucre vanillé
4 c. à s. de raisins de Corinthe
25 cl de café noir
margarine

Versez le lait, le café noir, le sucre et le sucre vanillé dans un poêlon et faites bouillir.
Dans un bol, émiettez le pain et les sandwiches. Ensuite, ajoutez les raisins.
Les sandwiches apportent une touche de douceur à la pâte, mais vous pouvez bien entendu utiliser n'importe quels restes de pain.
Pressez bien pour consolider la forme obtenue.
Versez le lait sur le pain.
Le pain doit absorber entièrement le lait.
Remettez à la cuisson et mélangez bien le tout jusqu'à l'obtention d'une pâte homogène.
Chauffez le tout à feu doux.
Incorporez les œufs à la crème, fouettez vigoureusement et incorporez à la pâte.
Laissez cuire.
Enduisez le moule à cake avec de la margarine.
Installez le pain dans le moule.
Tartinez le dessus d'un peu de margarine pour obtenir une belle croûte croquante et dorée.
Cuisez environ 35 à 40 minutes dans un four préchauffé à 170 à 180 °C.

Potage aux chicons
(Evere-Schaerbeek)

0,5 kg de chicons
1 oignon
1 petite pomme de terre
1,5 blanc de poireau
1,5 l de bouillon de légumes
1,5 dl de crème
1 c. à s. de margarine
sel et poivre

Coupez l'oignon et la pomme de terre en petits morceaux.
Coupez les chicons en deux dans le sens de la longueur. Ôtez la partie dure afin d'éviter toute amertume. Coupez le reste en morceaux fins et ajoutez-les à l'oignon.
Coupez les poireaux finement et ajoutez-les aux autres légumes. Faites fondre un peu de margarine dans une casserole et étuvez les légumes pendant environ 3 minutes.
Ajoutez un litre et demi de bouillon.
Assaisonnez de sel et de poivre.
Faites mijoter sans couvercle pendant environ 30 minutes.
Passez le potage au mixeur, et servez et décorez d'un peu de crème.

STOEMP AUX POIREAUX ET AUX LARDONS

une purée de pommes de terre
(150 g par personne)
600 g de lard salé
1/4 litre de bouillon de poulet
1 botte de poireaux
beurre
1/4 litre de crème fraîche
sel, poivre et noix de muscade
quelques brins de ciboulette

Coupez le lard en gros lardons et faites bouillir ceux-ci dans le bouillon.
Émincez les poireaux et poêlez-les avec du beurre.
À mi-cuisson, mouillez avec le jus de cuisson du lard.
Passez les légumes au passe-vite et ajoutez le jus avec la crème. Assaisonnez.
Mélangez le tout avec la purée.
Garnissez de ciboulette.

MOUSSE AU CHOCOLAT CÔTE D'OR PUR-MIN. 75% (ANDERLECHT)

200 g de chocolat noir à 75%
4 œufs
4 c. à c. de sucre fin
1 c. à c. de margarine

Faites fondre le chocolat au bain-marie avec un peu de margarine.
Mélangez les jaunes d'œufs et le sucre et fouettez jusqu'à ce que le mélange blanchisse.
Ajoutez le chocolat fondu et fouettez rapidement et fermement.
Battez les blancs en neige jusqu'à ce qu'ils soient bien fermes.
Incorporez délicatement une petite partie des blancs d'œufs montés en neige au mélange chocolat/œufs/sucre. Si vous incorporez les blancs en une fois, ils risquent de casser.
Incorporez ensuite progressivement le reste des blancs d'œufs.
Mettez la mousse au chocolat dans des petits ramequins et laissez prendre quelques heures au réfrigérateur.

STOEMP AUX TROIS OIGNONS

une purée de pommes de terre
(150 g par personne)
3 oignons blancs
3 oignons rouges
2 bottes de jeunes oignons
2 c. à s. de beurre
sel, poivre et noix de muscade
1/4 litre de crème fraîche
1 botte de persil

Émincez tous les oignons et poêlez-les ensemble dans le beurre.
Pour plus de facilité, vous avez la possibilité d'utiliser un wok.
Assaisonnez à la fin de la cuisson.
Incorporez la crème.
Mélangez le tout à la purée.
Saupoudrez de persil.

Salade de choux de Saint-Gilles

800 g de pommes de terre à chair ferme
400 g de choux de Bruxelles
10 marrons cuits
200 g de lard fumé
2 c. à s. de vinaigre de vin
persil haché
1 noisette de beurre
noix de muscade
sel et poivre

Épluchez les pommes de terre et faites-les cuire dans de l'eau salée.
Coupez la base des choux et enlevez-en les premières feuilles indigestes.
Faites cuire les choux de Bruxelles environ 10 minutes dans de l'eau salée, puis égouttez-les et rincez-les à l'eau froide.
Coupez les pommes de terre en rondelles.
Coupez le lard en lardons et passez-les dans une poêle anti-adhésive (sans matière grasse) à feu vif.
Coupez les choux en deux ou en trois puis faites-les revenir dans un peu de beurre.
Assaisonnez-les et ajoutez deux, trois passages de noix de muscade.
Ajoutez les marrons et laissez cuire tout cela gentiment à feu doux durant 4 à 5 minutes.
Déglacez la poêle des lardons avec de l'eau et le vinaigre.
Mélangez tous les ingrédients et versez-y un bon filet de vinaigre. Saupoudrez de persil haché.

CHOESELS

1 kg de pancréas de bœuf
1 queue de bœuf
250 g de poitrine de mouton
2 pieds de mouton
1 rognon dégraissé par votre boucher
1 ris de veau
250 g de poitrine de veau
10 quenelles de veau
250 g de champignons
25 cl de gueuze lambic Cantillon
4 oignons émincés
2 noisettes de beurre
sel et poivre
thym
laurier
1 l d'eau

Faites fondre les oignons avec le beurre dans une grande casserole (de préférence en fonte).
Une fois que les oignons ont pris une belle couleur, ajoutez-y la queue de bœuf coupée en morceaux, puis couvrez avec l'eau.
Laissez mijoter une heure en ayant soin d'enlever l'écume régulièrement et d'ajouter de l'eau quand les aliments ne sont plus immergés.
Ajoutez la poitrine de mouton ainsi que le rognon coupés en dés et les ris de veau. Placez le thym et le laurier dans la casserole pour le parfum et laissez cuire 30 minutes.
Coupez le pancréas, les pieds de mouton, la poitrine de veau en morceaux et incorporez-les.
Ajoutez ensuite la gueuze, les quenelles et les champignons.
Laissez cuire jusqu'à ce que la viande commence à s'effilocher.
Rectifiez l'assaisonnement.

MUSÉE
MUSEUM
LE ROY
D'ESPAGNE

CHICONS AU GRATIN

8 chicons moyens
+/-15 cl de jus de cuisson des chicons
+/-15 cl de lait
8 tranches de jambon dégraissé ou à l'os
20 g de beurre + 5 cl d'eau (cuisson des chicons)
2 c. à s. de farine
50 g de beurre (pour la sauce)
100 à 150 g de gruyère râpé
sel, poivre, noix de muscade

Faites cuire et braiser les chicons dans le beurre et l'eau.
Après le premier coup de chaleur, assaisonnez.
Laissez cuire à feu moyen en surveillant. Les chicons peuvent brunir légèrement.
Égouttez bien les chicons pour éviter que l'eau du légume ne liquéfie la sauce lors de la cuisson finale au four.

Préparation de la sauce:
Faites fondre une bonne noix de beurre (50 g).
Ajoutez la farine et mélangez hors du feu.
Versez le jus de cuisson dans le poêlon et mélangez énergiquement (au fouet si nécessaire).
Remettez sur le feu et ajoutez le lait.
Laissez prendre la sauce en mélangeant doucement.
Ajoutez +/-100 g de gruyère râpé, salez légèrement, poivrez et assaisonnez d'un peu de muscade selon vos goûts.

Étalez les tranches de jambon et roulez-y les chicons.
Posez-les dans un plat en terre et recouvrez-les de sauce.
Parsemez de gruyère râpé.
Placez dans un four préchauffé à 200 °C et laissez dorer pendant +/-20 minutes.

Chicons aux lardons
(Evere-Schaerbeek)

10 petits chicons de pleine terre de première catégorie
200 g de lardons salés
2 c. à s. de vinaigre blanc
persil haché
poivre du moulin

Coupez les chicons en dés après en avoir retiré la partie dure et amère.
Faites rissoler les lardons sans matière grasse, puis ajoutez-y les chicons. Laissez mijoter gentiment durant environ 15 minutes.
Enlevez les chicons et les lardons de la poêle.
Déglacez la poêle avec le vinaigre puis versez ce jus sur les chicons soigneusement mélangés aux lardons.
Ne salez pas. Les lardons suffiront à saler votre préparation.
Passez un coup de moulin à poivre et saupoudrez de persil haché.

CARICOLES DE LA GRAND-PLACE

Pour 1 kg de caricoles (bulots)
2 branches de thym
2 feuilles de laurier
1 dl de vin blanc sec
1,5 l d'eau
persil
sel et poivre de Cayenne
peau de 2 oranges

Dégorgez les bulots (couvrir avec du sel pour les « réveiller ») puis rincez-les à grande eau à plusieurs reprises.
Faites-les cuire dans un bouillon composé du vin, de l'eau, du thym, du laurier, du persil, des peaux d'orange, du sel et du poivre (Soyez généreux avec le poivre. Cette recette l'exige).
Cuisez à feu moyen pendant 20 minutes environ en prenant soin d'enlever régulièrement l'écume.
Égouttez, laissez refroidir et servez à vos convives avec des piques à cocktail.

Pain à la grecque

1 kg de farine
600 ml de lait
100 g de levure de boulanger
1 œuf
350 g de beurre
sel
5 g de cannelle en poudre
80 g de gros sucre

Versez la farine dans un saladier en verre. Faites-y une fontaine et laissez-y tomber l'œuf.
Faites tiédir le lait et délayez-y la levure.
Versez ensuite le lait tiède contenant la levure dans le récipient contenant la farine et l'œuf.
Farinez votre plan de travail et malaxez-y énergiquement la pâte obtenue.
Remettez le tout dans le saladier, couvrez et laissez lever pendant une vingtaine de minutes au four à 50 à 60 °C maximum.
À la sortie, ajoutez le beurre un peu ramolli et pétrissez à nouveau. Ajoutez sel, une pincée de sucre et cannelle et, après avoir remis la pâte sur votre plan de travail, continuez votre travail de pétrissage jusqu'à ce que la pâte ne colle plus aux mains.

Remettez le récipient au four, couvert, 20 minutes à 50/60 °C.
À la sortie du four, divisez la pâte en pâtons de 10 centimètres de long sur 2 à 3 centimètres de large. Sur le plan de travail pre-fariné, passez le rouleau sur les pâtons.

Passez les biscuits obtenus dans le gros sucre, mettez-les sur une plaque beurrée et farinée (ou sur une feuille de cuisson) et laissez lever durant 20 minutes puis repassez au four pendant 25 minutes à 180 °C.

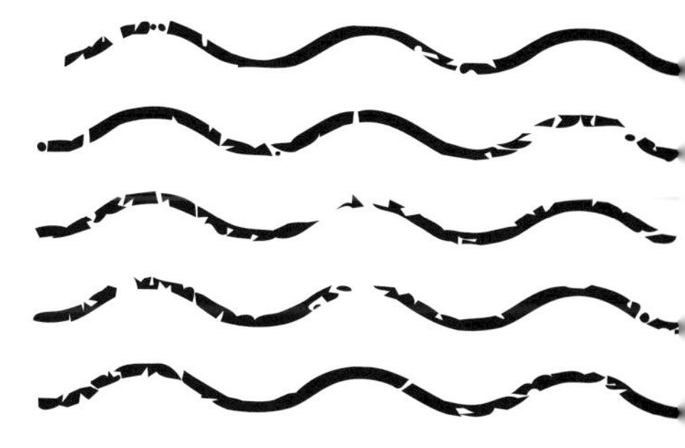

FILET AMÉRICAIN (TARTARE À LA BRUXELLOISE)

1 kg de steak haché de bœuf
4 échalotes
4 jaunes d'œuf
3 c. à s. de moutarde Didden
2 c. à s. de persil plat haché
1 c. à s. de sauce Worcester
2 c. à s. de câpres
25 cl d'huile d'arachide
1 c. à c. de ketchup
quelques gouttes de Tabasco
sel et poivre

Versez dans un saladier la moutarde, la sauce Worcester, le ketchup et les jaunes d'œufs.
Ajoutez selon vos goûts quelques gouttes de Tabasco.
Mélangez le tout au fouet en ajoutant progressivement l'huile, comme pour une mayonnaise.
Ajoutez le bœuf haché, les échalotes et le persil hachés finement et les câpres.
Salez et poivrez puis mélangez consciencieusement.

PISTOLETS AU HACHIS ET AU PICKLES

4 beaux pistolets de chez votre boulanger
du véritable beurre salé
200 g de hachis (veau/porc)
4 c. à s. de pickles

Beurrez les pistolets.
Tartinez-les grossièrement de hachis.
Salez et ajoutez le pickles (selon vos goûts).

FAISAN À LA BRABANÇONNE

1 faisan (800 à 900 g)
1 oignon (coupé grossièrement)
persil
beurre
sel et poivre
noix de muscade

Assaisonnez l'intérieur et l'extérieur du faisan et ajoutez-y une bonne noisette de beurre pour le rendre plus savoureux.
Faites fondre du beurre dans une casserole. Lorsque le beurre commence à « chanter », faites-y dorer le faisan de tous les côtés. Vous obtiendrez ainsi une croûte bien dorée, croquante et appétissante.
Coupez l'oignon en 4. Ne le coupez pas plus petit car il doit mijoter longtemps avec la viande. Ajoutez-le au faisan et laissez mijoter pendant 1,5 heure.
Couvrez la casserole afin de maintenir la vapeur et le jus de cuisson à l'intérieur, car le faisan peut se dessécher rapidement.
C'est la clé de la réussite de votre plat.
Réservez la viande au chaud: par exemple, sur assiette, couverte de papier aluminium.
Déglacez les sucs à l'eau et au persil haché. Mélangez bien et ajoutez à ce jus de cuisson un peu de matière grasse et en dernier lieu un peu de persil séché.
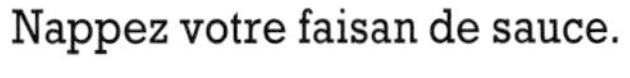
Nappez votre faisan de sauce.

CAMERA
SECURITY!

RW

BRABANT WALLON

En raison de sa proximité par rapport à Bruxelles, cette province est bien souvent décrite comme une grande cité-dortoir. Effectivement, nombreux sont ceux qui font quotidiennement l'aller-retour, la navette pour aller s'activer dans le rythme effréné dans la ville avant de revenir se réfugier au calme dans les verts pâturages du Brabant wallon.
Verte province, puisque pas loin de 60% de sa superficie sont consacrés à l'agriculture.

Agricole, elle l'est assurément, avec ses betteraves, ses patates, son élevage bovin, le lait, les céréales.
L'élevage et l'agriculture font partie de la vie quotidienne du citoyen, qui trouve dans les fermes brabançonnes, qu'il fréquente assidûment, une abondance de biens de bouche, répondant à une tendance nette et constante au « bio ».
L'évasion verte est l'une des appellations certifiées de la province.
Goûtez-y sans compter!

Tarte al'djote (Nivelles)

Pour la pâte :
500 g de farine
150 g de beurre sans sel
25 g de levure fraîche
2 jaunes d'œufs
1 dl de lait
1 peu de lait tiède
sel

Garniture (mayakance):
3 boulettes de 200 g de betchée de Nivelles (fromage blanc)
5 feuilles de bettes sans les tiges
15 g de persil haché
2 oignons
3 œufs
1 noisette de beurre
sel
poivre

Préchauffez le four au maximum.
Dans un saladier, versez la farine tamisée et formez-y une fontaine.
Versez-y la levure préalablement délayée dans un peu de lait tiède ainsi que les jaunes d'œufs battus.
Mélangez bien puis faites fondre le beurre à feu doux.
Incorporez le lait. Mélangez avec le mélange farine-œufs.
Pétrissez puis salez la pâte obtenue.
Divisez cette pâte souple en 4 pâtons. Couvrez et laissez lever durant une heure.
Écrasez la betchée et ajoutez-y les 3 œufs, le persil, l'oignon et les feuilles de bettes hachés ainsi qu'une noisette de beurre que vous aurez préalablement fait brunir.
Assaisonnez.
Foncez de pâte des platines beurrées.
Garnissez-les.
Faites cuire durant +/15 minutes au four à 180 °C.
Surveillez bien la cuisson pour éviter que le fromage ne brûle.

POUGNETTE DE BRAINE-L'ALLEUD

2 jambonneaux salés
4 oignons
raisins secs
2 c. à c. de cassonade
sel
poivre
15 cl de bière brune, la « V Cense » de Jandrain
beurre

Dans une cocotte en fonte, faites revenir les oignons coupés en petits morceaux.
Ajoutez-y les jambonneaux coupés et faites-les revenir. Assaisonnez.
Incorporez une bonne poignée de raisins secs, la cassonade ainsi que la bière brune
Laissez mijoter au moins 4 h à feu très doux en remuant régulièrement.
Le porc va se détacher de l'os, l'ensemble aura pris une belle nuance brune et vous pourrez déguster cette recette ancestrale.

TARTE AU SUCRE BRUN

1 feuille de pâte feuilletée prête à l'emploi
4 pommes Granny Smith
eau
2 œufs
1 jaune d'œuf
250 g de sucre brun
2 c. à s. de crème fouettée
beurre

Coupez les pommes en petits morceaux d'un demi-centimètre. Plus petits sont les morceaux, plus vite ils seront cuits.
Utilisez des pommes Granny Smith. Leur acidité neutralisera le sucre.
Avec des pommes moins acides, comme les Jonagold ou les Pink Lady, votre tarte sera trop sucrée.
Faites fondre un peu de beurre et ajoutez-y les pommes. Ajoutez un peu d'eau. Quelques minutes suffisent à la cuisson.
Battez 2 œufs entiers et un jaune d'œuf avec le sucre. Le jaune d'œuf supplémentaire donne de l'onctuosité et raffermit la préparation.
Battez jusqu'à obtenir un mélange homogène.
Fouettez la crème et ajoutez-la à la pâte. Fouettez la crème aux trois quarts seulement pour éviter d'introduire trop d'air dans le mélange. Vous obtiendrez ainsi davantage d'onctuosité.
Déroulez la pâte feuilletée et son papier dans un moule à tarte. Le papier empêche la pâte de coller et permet aussi un démoulage plus facile.
À l'aide d'une fourchette, piquez quelques trous dans le fond pour éviter que la pâte ne monte pendant la cuisson.
Faites refroidir quelques instants la compote avant de la mettre sur la pâte, pour éviter de trop humidifier la pâte. Si la pâte est trop imbibée de liquide, elle se brise et perd son croquant à la cuisson. Evitez la compote de pomme prête à l'emploi, dont la teneur en sucre risque de rendre la préparation trop sucrée.
Répartissez sur la tarte quelques morceaux de beurre qui donneront une belle couleur dorée. Cuisez la tarte pendant 35 minutes à 180 °C exactement. Ne dépassez pas le temps de cuisson car le sucre brûlera.

CHAMPIGNONS FARCIS (FOLX-LES-CAVES)

8 gros champignons de Paris
(la culture du champignon à Folx-Les-Caves a malheureusement cessé milieu des années septante)
150 g de jambon
20 g de coriandre
2 échalotes hachées
persil
beurre
sel
poivre
noix de muscade

Enlevez le pied des champignons.
Faites fondre un peu de beurre et cuisez-y les champignons en remuant durant environ 2 minutes.
Assaisonnez-les de sel, de poivre et de noix de muscade.
Coupez le jambon en petits morceaux et mélangez-le avec les échalotes, le persil et la coriandre. Laissez cuire encore quelques minutes.
Trempez la tête des champignons dans un peu de beurre fondu, remplissez les champignons avec le mélange avant de les mettre au four à 160 °C durant 7 à 10 minutes, selon que vous les voulez plus ou moins gratinés.
Un toast de pain frotté à l'ail fera le compagnon idéal.

TARTE DU LOTHIER DE GENAPPE

1 pâte brisée (prête à l'emploi)
20 cl de lait
25 g de semoule de riz
180 g de sucre cristallisé
70 g de pulpe d'abricots
2 g d'amandes amères en poudre
3 œufs
50 g de beurre
25 g de farine

Écrasez les abricots à la fourchette après y avoir incorporé le sucre.
Étendez la pâte brisée sur une platine beurrée et farinée.
Garnissez la pâte de pulpe d'abricots.
Incorporez les amandes, le lait et les 3 jaunes d'œufs à la semoule.
Battez les blancs et ajoutez-les à la semoule.
Versez le mélange obtenu sur la tarte.
Passez au four à 180 °C durant 30 minutes.

Tartines à la maquée du Brabant wallon

200 g de maquée de Brabant (fromage frais)
8 radis
1 échalote
persil
poivre
sel
4 belles tranches de pain de campagne

Poivrez (généreusement) et salez (avec modération) le fromage blanc.
Hachez l'échalote et mélangez-la au fromage.
Tartinez généreusement le pain de fromage.
Terminez par un peu de persil haché.

POULET ARTISANAL DE PIÉTREBAIS AU FOUR

1 beau poulet « Roi de Piétrebais »
1 gros oignon
6 gousses d'ail
sel
poivre
noix de muscade
beurre

Chauffez le four à 180 °C.
Coupez les oignons et l'ail en morceaux et farcissez-en le poulet.
Assaisonnez l'intérieur du poulet et ajoutez une belle noisette de beurre.
Assaisonnez l'extérieur du poulet.
Faites fondre le beurre dans une casserole jusqu'à ce qu'il brunisse joliment et faites dorer le poulet de tous les côtés.
Placez le poulet dans un plat allant au four et laissez-le cuire pendant une heure à 180 °C.
Pas besoin de fioritures pour déguster ce poulet. Il se suffira à lui-même.

BLANC-BLEU-BELGE DE GLIMES EN TAGLIATA

1 grosse entrecôte blanc-bleu-belge d'un demi-kilo
roquette
copeaux de parmesan
beurre
poivre
sel et gros sel marin
2 c. à c. de vinaigre balsamique
huile d'olive
50 g de tomates séchées

Faites fondre le beurre dans une poêle bien chaude.
Assaisonnez d'abord le beurre et ensuite un côté de la viande (qui doit être à température ambiante).
Saisissez la viande du côté non épicé pendant 3 à 4 minutes, puis retournez-la.
Réservez la viande sur une assiette sous une feuille de papier aluminium.
Mélangez la roquette avec la vinaigrette et ajoutez les morceaux de tomates séchées.
Disposez la salade au milieu de l'assiette, coupez la viande en tranches d'1 cm et disposez les tranches autour de la salade en forme de rosace.
Décorez de copeaux de parmesan.
Saupoudrez enfin d'un peu de gros sel marin.

CRÈME BRÛLÉE AUX FRAISES D'ITTRE

10 jaunes d'œufs
250 g de sucre
1 l de crème
1 bâton de vanille
40 g de cassonade
20 belles fraises sucrées d'Ittre
1 c. à s. de poudre de spéculoos
beurre

Préchauffez le four à 100 °C.
Faites chauffer la crème à feu doux.
Coupez la vanille en deux, prélevez-en la chair et ajoutez-la à la crème.
Battez les jaunes d'œufs avec le sucre jusqu'à l'obtention d'une masse blanche puis ajoutez la crème. Répartissez le mélange dans des caquelons individuels.
Installez au four à 100 °C durant 90 minutes.
Laissez ensuite refroidir un peu.
Saupoudrez d'un peu de cassonade et faites flamber à l'aide d'un bec Bunsen.
Faites fondre les fraises coupées en dés dans le beurre et caramélisez-les avec la poudre de spéculoos – pas trop longtemps, pour ne pas en faire une compote. Les morceaux doivent rester visibles.
Déposez une cuillerée de fraises sur la crème brûlée.

Filets de cabillaud au lard de piétrain

4 filets de cabillaud (150 g/200 g)
jus de 2 citrons
poivre noir
16 fines tranches de lard de piétrain
4 c. à s. de mayonnaise
2 grosses bottes d'asperges vertes nettoyées
beurre

Enroulez les filets de cabillaud dans le lard ; il relèvera le goût et empêchera le poisson de se défaire.
Faites fondre un peu de beurre dans une poêle, déposez-y les filets de cabillaud et faites-les dorer des deux côtés.
Déglacez à l'eau et couvrez.
Laissez mijoter à feu doux pendant 10 minutes.
Cuisez les asperges dans de l'eau salée.
Ajoutez la mayonnaise, un peu de jus de citron et du poivre.
Dressez le poisson, décorez l'assiette d'un peu de mayonnaise au citron et garnissez-la d'asperges.

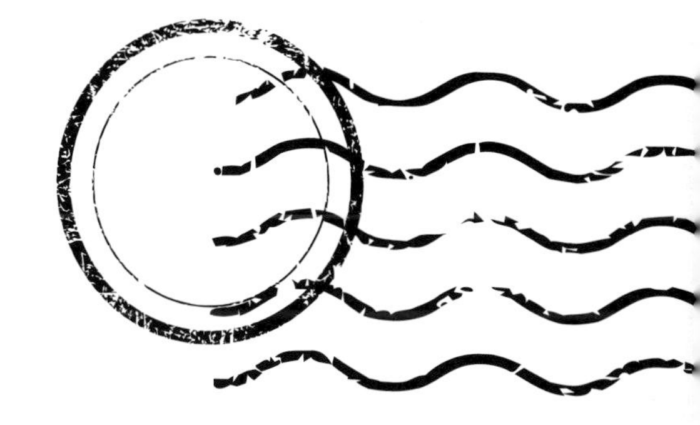

STEAK D'AUTRUCHE DE BOIS DE NIVELLES

4 beaux steaks de Bois de Nivelles
25 champignons
1,5 dl d'eau mélangée avec du bouillon de bœuf
beurre
un filet de whisky
1,5 dl de crème fraîche
sel
poivre
persil

Assaisonnez la viande et faites fondre un peu de beurre.
Faites-y cuire les steaks dans le beurre bien doré.
Coupez les champignons en lamelles et faites-les cuire dans la même poêle.
Déglacez avec le whisky.
Mélangez bien le jus de cuisson.
Ajoutez l'eau et le bouillon et mélangez.
Incorporez la crème et réduisez de moitié de manière à obtenir une sauce bien liée.
Servez les steaks avec la sauce, garnissez de persil et accompagnez d'une salade

0
REG.

BRABANT FLAMAND

Depuis sa création en 1995 suite à la scission de l'ancienne province du Brabant, cette nouvelle entité a su trouver elle aussi sa personnalité, son caractère. L'ancien duché du Brabant, riche en produits divers comme les asperges ou les bières fruitées de la vallée de la Senne, s'inscrit en lettres capitales sur les registres brassicoles depuis que l'entreprise qui se penche entre autres sur l'avenir de la Stella Artois, née à Louvain, est devenue le numéro un mondial de son secteur.
Sous l'appellation « Straffe streek », que l'on pourrait traduire par « région balaise », la province du Brabant flamand fait la promotion de ses produits régionaux dans un cadre ultra professionnel et labellisé, afin d'offrir qualité et alimentation saine dans un cadre structuré. Balaise, le Hageland!

SOUPE À LA BIÈRE DE DIEST

2 blancs de poireaux
3 carottes
½ chou-fleur
150 g de céleri
½ bouquet de basilic
2 l de bouillon de poulet
50 g de sucre
100 g de vermicelles
1 bouteille de bière brune Loterbol
beurre

Coupez les légumes en petits dés.
Faites fondre un peu de beurre et faites-y cuire les légumes légèrement pour bien en conserver le goût. Assaisonnez.
Réchauffez convenablement le bouillon de poulet et la bière puis versez l'ensemble sur les légumes.
Ajoutez le sucre et les vermicelles en dernier lieu, pour éviter qu'ils ne fondent.
Servez cette soupe dans une assiette creuse, saupoudrée de basilic.

Poulet à la Hoegaarden

1 gros poulet
1 gros oignon
6 gousses d'ail
épices pour poulet
sel
poivre
noix muscade
1 demi-bouteille de bière blanche d'Hoegaarden
thym
laurier
beurre

Chauffez le four à 180 °C.
Coupez les oignons et l'ail en morceaux et farcissez-en le poulet.
Assaisonnez l'extérieur du poulet.
Faites légèrement brunir le beurre dans une casserole et faites-y dorer le poulet de tous les côtés.
Mettez le poulet avec le thym et le laurier dans un plat allant au four, mouillez avec la bière et faites cuire pendant une heure à 180 °C.

TARTE AUX POMMES DU HAGELAND

Pâte feuilletée prête à l'emploi

Pour la garniture:
5 belles pommes
2 c. à c. de sucre
cannelle

Préparez une compote avec 2 pommes coupées en dés, le sucre, la cannelle et un peu d'eau.
Faites cuire à feu doux durant une vingtaine de minutes.
Déroulez la pâte feuilletée et son papier dans un moule à tarte. Le papier évite que la pâte ne colle et permet aussi un démoulage plus facile.
À l'aide d'une fourchette, piquez quelques trous dans le fond pour éviter que la pâte ne monte pendant la cuisson.
Garnissez le fond de la tarte de la compote légèrement tiède.
Épluchez et coupez les autres pommes en fines tranchettes.
Disposez les tranches de pomme sur la compote.
Passez au four à 180 °C pendant une demi-heure environ.

Schippershuis

Jets de houblon d'Asse

jets de houblon
(100 g par personne sont un maximum compte tenu du prix de cette délicatesse encore produite à Poperinge, mais aussi dans la région d'Asse)
jus d'un citron
1 noisette de beurre
10 cl de crème
sel
poivre

Lavez les jets abondamment et plusieurs fois à grande eau.
Faites-les cuire quelques minutes seulement dans de l'eau bouillante salée dans laquelle vous aurez pressé le jus d'un citron.
Servez-les nappés d'une sauce bien poivrée, obtenue avec le beurre fondu et la crème.
Tout simple mais exquis.

LAPIN A LA KRIEK DE WAMBEEK

1 lapin de 1 kg
20 pruneaux
250 g de lard salé
2 oignons
sel
poivre
beurre
1/4 l de bouillon de poulet
1 bouteille de Chapeau Kriek De Troch
6 c. à s. de farine

Assaisonnez et farinez les morceaux de lapin.
Coupez les oignons et le lard en gros morceaux.
Faites fondre le beurre et colorez vos morceaux de lapin de chaque côté dans une casserole assez large.
Ajoutez-y les oignons et les lardons et laissez-les colorer également.
Déglacez avec la Kriek et le bouillon de poulet.
Laissez mijoter à feu moyen 1 h 30 sans couvercle.

SABAYON À LA FRAMBOISE D'ITTERBEEK

8 œufs
4 c. à s. de sucre
8 c. à s. de bière Framboise Timmermans
2 poires
1 c. à c. de beurre
beurre

Coupez les poires en brunoise. Cuisez-les dans un peu de beurre en ajoutant une pincée de sucre.
Répartissez les fruits dans des verres.
Pour le sabayon, séparez les jaunes d'œufs des blancs et ajoutez les premiers au sucre et à la bière dans une grande casserole.
Fouettez énergiquement le mélange et placez à feu vif jusqu'à l'obtention d'une mousse (dessinez des 8).
Ôtez la casserole du feu lorsque le mélange est épais et aéré, mais continuez à battre.
Versez le sabayon sur les fruits dans les 4 verres.

Mignonnettes de porc à l'Affligem

4 mignonnettes (250 g par personne)
100 g de lard
4 échalotes
250 g de pleurotes
½ l de bière Triple Affligem
½ botte de persil plat
beurre
sel
poivre

Assaisonnez convenablement la viande.
Faites rôtir la viande de chaque côté dans un peu de beurre fondu.
Coupez les pleurotes, les échalotes et le lard en morceaux puis ajoutez-les.
Déglacez le tout à la bière, réduisez la chaleur et laissez mijoter de 30 à 40 minutes.
Garnissez de persil finement haché.

FILET MIGNON DE PORC À LA HOEGAARDEN

400 g de filets mignons de porc
4 branches de thym
2 c. à s. de vinaigre balsamique
6 c. à s. de bière rosée de Hoegaarden
1 c. à s. de miel d'acacia
2 c. à s. de crème
beurre
1 pomme

Faites cuire les filets de chaque côté 2 à 3 minutes dans un beurre bien doré.
Ajoutez-y les pommes coupées en grosses tranches.
Déglacez avec le vinaigre, la bière et le miel.
Incorporez la crème et le thym haché et laissez cuire jusqu'à l'obtention d'une sauce liée.
Servez les filets nappés de sauce. Quelques pommes-vapeur en accompagnement feront l'affaire.

FONDUE GRIMBERGEN

une bouteille de Grimbergen Blonde
250 g de fromage Grimbergen
1 c. à c. de fenouil en poudre
20 g de farine
1 demi c. à c. de moutarde
1 c. à c. de jus de citron

Mélangez la bière et le jus de citron. Versez le mélange dans le caquelon.
Faites chauffer celui-ci.
Coupez le fromage en dés.
Incorporez progressivement le fromage tout en mélangeant.
Incorporez la moutarde et le fenouil à la farine et ajoutez ce mélange à la fondue.
Portez à ébullition et servez avec du pain toasté (vous pouvez aussi essayer avec des tranches de pain d'épices toastées).

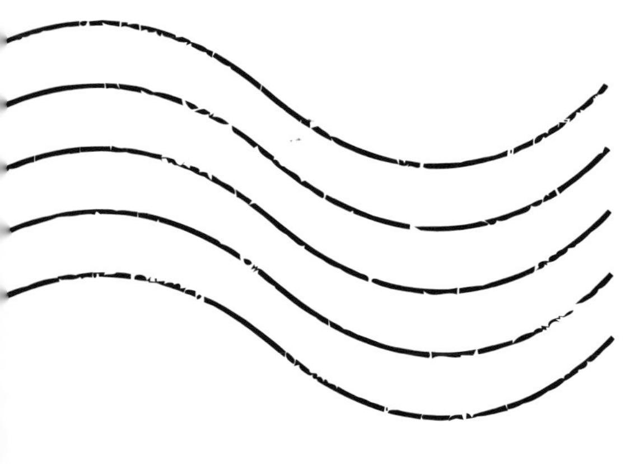

Fricadelles aux cerises du nord et à la Kriek de Lembeek

800 g de hachis (porc et veau)
3 œufs
3 biscottes émiettées
2 oignons
beurre
700 g de cerises du nord dénoyautées et égouttées (réservez le jus)
250 g de sucre cristallisé
1 citron
5 cl de bière Kriek Boon
sel
poivre
noix de muscade
thym

Mélangez la viande hachée avec les œufs entiers, les biscottes émiettées, l'oignon finement émincé.
Assaisonnez (sel, poivre, thym et noix de muscade).
Formez des boulettes de 4 à 5 centimètres de diamètre.
Mélangez le sucre avec le jus des cerises.
Portez à ébullition en mélangeant.
Déposez les cerises dans une casserole à fond épais et mouillez-les avec le sirop.
Ajoutez éventuellement un peu d'eau.
Pochez lentement les cerises.
En fin de la cuisson, ajoutez le jus d'un citron et la bière. Mélangez et réservez à température ambiante.
Faites fondre 50 g de beurre dans une poêle assez grande pour contenir les fricadelles.
Faites-les revenir à feu vif puis abaissez et laissez cuire durant environ 30 minutes.
Retirez les fricadelles de la poêle et égouttez-les sur du papier absorbant.
Servez-les avec les cerises.

FLANDRE OCCIDENTALE

Voilà la région de Belgique où les vents font ployer les dos, claquer les baleines des parapluies et plisser les rides profondes et les reliefs aigus des West-Flandriens.
Dans la région de la babelutte, où il s'agit d'avoir la molaire résistante, les hommes sont connus pour être durs au labeur. Et les femmes pas moins.
Elle projette sur l'écran de nos mémoires d'enfants des images de dunes, de pêcheurs à cheval, de terrasses de mangeurs de crevettes accompagnées d'une Rodenbach...
Il y a des clichés comme cela. Des clichés qui ont la vie dure, mais qui méritent cette longévité.
De nos jours, des slogans comme « 100% West-Vlaams », « Le meilleur de chez nous » ou encore « Quand la nature devient un Art » ne laissent aucun doute quant au message de qualité ni aux nombreuses facettes gourmandes qu'a à nous offrir le Westhoek.

MOULES NATURE
(MOULES CASSEROLE)

4 kg de moules Belgica
1 gros oignon
½ botte de céleri
1 verre de bière blonde
sel, poivre
beurre

Rincez les moules trois fois à l'eau froide.
Coupez l'oignon en deux et émincez-le. Détaillez le céleri en brunoise.
Mettez une bonne cuillerée à soupe de beurre dans une casserole et versez-y ensuite les légumes. Posez les moules par-dessus et mouillez d'un verre de bière blonde.
Assaisonnez.
Cuisez les moules à feu vif pendant 4 à 5 minutes.
Lorsque les moules s'ouvrent, secouez énergiquement la casserole.
Poursuivez la cuisson à feu vif.
Les moules sont prêtes lorsqu'elles sont toutes ouvertes.

CROQUETTES DE CREVETTES OSTENDAISES

500 g de crevettes grises ostendaises
200 g de têtes de crevettes
¾ l de lait
2 feuilles de gélatine
2 œufs
100 g de fromage râpé
80 g de beurre
huile
120 g de farine
sel, poivre, poivre de Cayenne
chapelure
citron
persil frit

Mettez les têtes de crevettes dans le lait et laissez-les tremper 20 minutes.
Faites tremper les feuilles de gélatine dans l'eau froide et ajoutez-les au lait après l'avoir passé au chinois.
Préparez un roux avec le beurre et la farine et mouillez le mélange avec le lait à la gélatine.
Laissez cuire, ajoutez les crevettes épluchées et épicez.
Ajoutez ensuite le fromage râpé et mélangez bien le tout.
Disposez le mélange dans un plat huilé.
Laissez refroidir l'appareil à croquettes une nuit au réfrigérateur et coupez-le ensuite en petits rectangles.
Panez-les en les passant successivement dans la farine, le jaune d'œuf et la chapelure.
Faites-les frire à 180 °C.
Servez les croquettes avec du citron et du persil frit.

Jan
ISPC Gent
ISPC Gent

POTAGE AUX CREVETTES D'OSTENDE

1 oignon
2 carottes
1 l d'eau et 1 c. à s. de bouillon de poisson en poudre
le blanc d'un poireau
1 kg de carapaces de crevettes grises d'Ostende
300 g de belles crevettes grises
beurre
3 c. à s. de purée de tomates
sel et poivre
crème
3 c. à s. de farine

Faites fondre le beurre dans une poêle et étuvez-y les carapaces de crevettes. Salez et poivrez.
Incorporez les légumes coupés et mélangez.
Ajoutez maintenant la farine, la purée de tomates, mélangez consciencieusement et laissez cuire à feu doux.
Ajoutez le bouillon en laissez cuire une heure.
Passez le potage dans un chinois fin.
Déposez une cuillerée de belles crevettes au milieu de l'assiette, versez un peu de crème tout autour puis ajoutez le potage.

CRÊPES BREUGHELIENNES

250 g de farine
0,5 l de lait
3 œufs
2 c. à s. d'huile
un peu de beurre
1 œuf (pour la garniture)
150 g de fromage de Damme râpé

Préparez une pâte légère en mixant la farine, les œufs, l'huile et le lait. Faites cela de préférence un jour à l'avance. Conservez au réfrigérateur.
Chauffez un peu de beurre à feu vif dans une poêle antiadhésive. Recouvrez le fond d'une fine couche de pâte, pour obtenir une crêpe bien fine.
Recouvrez tout le fond de la poêle de pâte.
Retournez la crêpe quand elle commence à sécher (brunir) sur les côtés.
Ajoutez le fromage et l'œuf au centre de la crêpe. Quand le blanc est cuit, pliez la crêpe en quatre.
Autrefois, on cuisait plusieurs crêpes à la fois sur la buse d'un poêle de Louvain.

Dentelles de Bruges
(kletskoppen)

100 g de beurre à température ambiante
300 g de cassonade brune
150 g de farine pour pâtisserie
100 g d'amandes brisées
1 pincée de cannelle (ou de gingembre)
1 pincée de sel
50 cl d'eau

Mélangez tous les ingrédients en prenant soin de mettre l'eau en dernier.
Pétrissez soigneusement.
Laissez refroidir sur une grille environ 2 à 3 heures.
Mettez cette pâte dans une poche à douille à embout lisse et dressez des noisettes de pâte, aplatissez-les et déposez-les ensuite sur une plaque de cuisson bien graissée en veillant à bien les espacer.
Passez-les au four à 180 °C durant environ 10 minutes.
Décollez-les de la plaque à l'aide d'une spatule.
Laissez reposer les dentelles sur une grille.

BOULES DE BERLIN DE LA PLAGE

300 g de farine tamisée
15 g de levure de bière
15 cl de lait tiède
3 œufs
60 g de sucre en poudre
sel
90 g de beurre fondu
sucre impalpable

Délayez la levure dans le lait tiède.
Dans un robot, battez les œufs avec le sucre fin (obtention d'un ruban).
Ajoutez une pincée de sel.
Ajoutez dans le robot la levure délayée, la moitié de la farine et le beurre fondu.
Battez jusqu'à l'obtention d'une pâte homogène puis ajoutez l'autre moitié de la farine.
Laissez reposer la pâte obtenue recouverte d'un essuie jusqu'à ce qu'elle double de volume.
Abaissez un rouleau de pâte d'environ 12 mm d'épaisseur et, à l'aide d'un emporte-pièce, découpez-y des cercles d'environ 7 cm.
Laissez à nouveau reposer.
Saupoudrez les boules de farine.
Pour la cuisson, plongez-les dans une friture bouillante (180 °C) mais en veillant à ne pas en mettre trop à la fois, pour éviter qu'elles n'adhèrent l'une à l'autre.
Lorsqu'elles sont bien dorées, égouttez et saupoudrez de sucre impalpable. Miam.

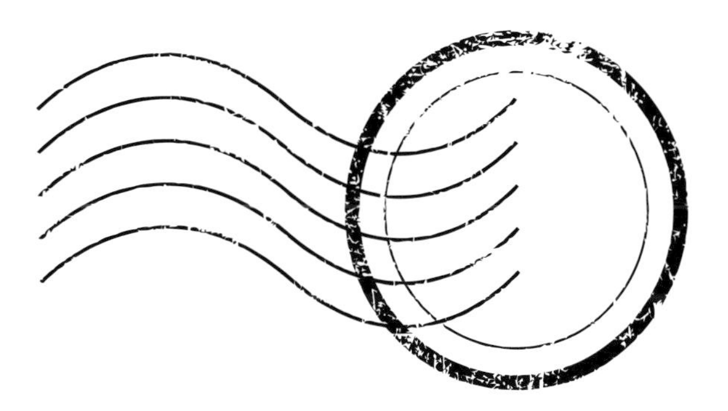

RIS DE VEAU À LA WESTVLETEREN

4 ris de veau (800 g)
150 g de petits champignons
0,5 l de bière d'abbaye de Westvleteren
beurre
6 gros champignons
farine
1 échalote
2 dl de crème
persil
vinaigre

Nettoyez et faites dégorger les ris de veau durant 10 minutes dans de l'eau additionnée de vinaigre.
Pochez-les durant 15 minutes dans de l'eau bouillante salée.
Mettez-les à égoutter puis coupez-les en petits morceaux. Assaisonnez-les et farinez-les.
Cuisez-les de tous les côtés durant 5 minutes avec l'échalote dans un beurre moussant.
Déglacez les sucs de cuisson avec la bière. Réduisez de moitié et ajoutez-y les champignons coupés finement ainsi que les petits champignons entiers.
Incorporez la crème et réduisez à nouveau. Persillez.

SOLES À L'OSTENDAISE

1 botte de poireaux
beurre
2 échalotes émincées
sel
poivre
noix de muscade
¼ l de crème fraîche
300 g crevettes grises
4 soles

Lavez et coupez les poireaux en brunoise.
Poêlez-les au beurre avec les échalotes.
Rectifiez l'assaisonnement avant d'incorporer la crème.
Laissez cuire 2 à 3 minutes.
Ajoutez les crevettes.
Poêlez la sole dans du beurre 2 à 3 minutes de chaque côté.
Levez les filets.
Placez les filets inférieurs dans un plat à four. Couvrez-les de poireaux et de crevettes puis posez délicatement les filets supérieurs sur le tout.
Enfournez les soles ainsi reconstituées 1 à 2 minutes à 150 °C.

TERRINE DE FURNES (POTJESVLEES)

800 g de morceaux de viande désossée composée de :
poulet
lapin
veau
200 g de lard gras
2 échalotes
0,5 l de vin blanc sec
thym
laurier
sel
poivre

Assaisonnez la viande, coupez-la en dés puis déposez-la dans une terrine.
Couvrez d'un lit de lard puis recouvrez d'un autre lit de viande et ainsi de suite.
Terminez par une couche de lard, que vous arroserez avec le vin blanc.
Garnissez de thym, de laurier et d'échalotes.
Fermez la terrine le plus hermétiquement possible.
Mettez-la au four préchauffé à 180 °C dans un bain-marie, durant 3 à 4 heures.
Ayez soin de vérifier le niveau de l'eau du bain-marie de temps à autre.
À la sortie, laissez refroidir et mettez au réfrigérateur.
Servez froid.

Croquettes de poisson

Ingrédients pour 20 à 25 croquettes:
350 g de cabillaud poché (morceaux)
200 g farine
2 œufs
200 g de beurre
100 g de fromage râpé
35 cl de lait entier
35 cl de bouillon de poisson
2 paquets de chapelure
roquette
jus de citron
sel, poivre de Cayenne
noix de muscade
film plastique

Faites fondre le beurre dans une marmite, ajoutez la farine, mélangez le tout et chauffez à feu doux jusqu'à l'obtention d'un roux.
Incorporez le lait et le bouillon de poisson et continuez à bien mélanger pour assurer la liaison.
Assaisonnez, ajoutez le jus de citron et réservez.
Ajoutez ensuite le poisson ainsi que le fromage et la roquette.
Versez le mélange dans un saladier huilé et placez une nuit au réfrigérateur sous un film plastique.
Déposez cet appareil sur une planche et découpez des croquettes pas trop grandes.
Fouettez les jaunes d'œufs avec un peu d'eau, enduisez-en les croquettes et passez-les ensuite dans la chapelure.
Répétez cette opération puis faites frire à 180 °C.
Servez avec du persil frit.

TOMATE CREVETTES

4 belles grosses tomates bien rouges
400 g de crevettes grises épluchées
4 c. à s. de mayonnaise
jus de citron
persil finement haché
sel
poivre

Mondez les tomates : avec la pointe du couteau, faites une incision en forme de croix, plongez les tomates dans de l'eau bouillante, réduisez la chaleur (l'eau doit continuer à frémir). Après 10 secondes, la peau s'enlève toute seule.
Retirez immédiatement du feu pour arrêter la cuisson.
Découpez un chapeau.
Évidez les tomates en retirant un maximum de chair.
Retournez les tomates évidées. Laissez-les égoutter pendant quelques minutes.
Mélangez la mayonnaise et le jus d'un demi-citron, les crevettes et le persil haché.
Assaisonnez puis farcissez les tomates de ce mélange.
Couvrez les tomates de leur petit chapeau.
Servez bien frais avec une bonne pils légère.

Hochepot à la brugeoise

300 g de porc
300 g de bœuf
150 g de lard
50 g de beurre
3 c. à s. de farine
4 navets
1 carotte
1 céleri
1 poireau
1 oignon
50 g de haricots blanc
4 pommes de terre
noix de muscade
sel
poivre

Pelez et coupez les oignons en lamelles.
Rincez les morceaux de viande sous l'eau froide. Essuyez-les puis coupez-les en dés.
Assaisonnez de sel, de poivre et de noix de muscade et incorporez l'oignon émincé.
Faites revenir environ 20 minutes dans le beurre fondu dans une casserole.
Coupez également les autres légumes et incorporez-les à la viande. Couvrez d'eau.
Laissez cuire durant 40 minutes à feu doux.
Liez la sauce avec la farine délayée dans de l'eau.
Rectifiez l'assaisonnement.

Waterzooi à l'ostendaise

Environ 1 kg de poisson composé :
lotte
saumon
cabillaud
+ 0,5 kg de moules
+ 4 scampis

1 céleri à jets
1 poireaux
2 oignons hachés
2 échalotes hachées
2 carottes
2 dl de crème
0,5 bouteille de bière blonde
eau
sel
poivre
thym
laurier
2 c. à s. de persil haché

Déposez tous les poissons et les scampis dans une grande marmite et couvrez-les d'eau.
Assaisonnez, incorporez la bière, l'oignon, 1 cuillère à soupe de persil et les échalotes.
Portez à ébullition puis laissez mijoter durant une demi-heure.
Préparez les moules à part (cf p. 75). Une fois ouvertes, elles seront réservées au chaud.
Coupez tous les légumes en fine julienne et passez dans le beurre fondu durant
10 minutes environ.
Disposez le poisson sur les légumes.
Ajoutez le jus de moules et le fond de poisson filtré.
Portez à ébullition, réduisez la chaleur, couvrez et laissez mijoter quelques minutes.
Servez dans une grande soupière.
Ajoutez le persil, la crème et les moules.
Terminez par un petit coup du moulin à poivre et un peu de persil haché.

Prodemar

RW

ROULADES DE SOLE DE ROULERS

8 filets de sole
8 feuilles de basilic
1 échalote
¼ l de crème
1 verre de bière Rodenbach
ciboulette hachée
beurre
sel, poivre

Déposez vos filets sur une planche à découper avec le côté extérieur visible et aplatissez-les avec la lame d'un couteau.
Assaisonnez et déposez les feuilles de basilic sur les soles.
Roulez les filets et assaisonnez l'autre côté.
Faites fondre le beurre dans une poêle. Lorsque celui-ci aura doré, cuisez les roulades durant 1 à 2 minutes.
Déglacez à la Rodenbach et à la crème, puis ajoutez l'échalote et poursuivez la cuisson 2 à 3 minutes de plus.
Incorporez la ciboulette hachée et servez immédiatement avec un peu de purée.

FLANDRE ORIENTALE

À côté de leurs voisins flandriens, très enviés notamment en raison de leur splendide littoral, les flamands de Flandre orientale ne souhaitent pas faire de complexes.
Ils ont décidé de jouer sans forfanterie la carte du chauvinisme sain : « Oost-Vlaanderen boven ! » (la Flandre Orientale au sommet !) comme le dit le slogan. Terre de cyclisme, berceau des terribles Flandriens du vélo fonçant tête baissée sur des routes peu hospitalières et balayées par des vents changeants, elle se distingue par un ensemble très cohérent de produits, de traditions, d'innovations dans lesquelles la bière et le jambon ne sont jamais loin.
La jovialité et l'enthousiasme portent bien haut (Boven !) les couleurs des amateurs de bonnes choses et des événements traditionnels comme les Breydelfeesten sont autant de perles culinaires au collier de cette province pédaleuse.

FLAN À LA MODE DE FLANDRE ORIENTALE

1 l de lait
50 g de sucre candi
5 biscottes
600 g de pain d'épices Vondelmolen
2 c. à s. de farine
25 g d'écorces de citron confit
1 c. à c. de cannelle
2 œufs
2 c. à s. de sirop

Émiettez les biscottes et le pain d'épices, puis mettez les morceaux avec le sucre dans le lait. Mélangez énergiquement au fouet puis portez à ébullition à feu doux.
Mélangez les œufs bien battus aux 2 cuillères de farine délayées préalablement dans du lait froid avec les écorces de citron confit et la cannelle.
Versez ce mélange sur les biscottes et le pain d'épices. Mélangez énergiquement.
Remplissez des formes spéciales pour flans.
Nappez de sirop de candi.
Cuisez au four à 180 °C durant 45 minutes.

Moques de Gand

50 g de cassonade
80 g de beurre
125 g de farine
2 ml de bicarbonate de soude
5 ml d'anisette

Formez une fontaine dans la farine et ajoutez-y le beurre, le sucre, l'anisette et le bicarbonate.
Pétrissez et formez un « boudin » d'environ 5 centimètres.
Placez au réfrigérateur durant une demi-heure.
Coupez en rondelles d'un demi-centimètre et déposez-les sur une plaque beurrée et farinée en prenant soin de les espacer suffisamment.
Mettez au four préchauffé à 180 °C durant 15 minutes. Surveillez de près la cuisson car les biscuits ne doivent pas trop brunir.

WATERZOOI À LA GANTOISE

1 belle grosse poule
150 cl de crème
1 grosse carotte (environ 250 g)
3 branches de céleri blanc
1 gros oignon
1 poireau
1 botte de persil avec racines
2 l de bouillon de poulet
2 jaunes d'œufs
2 cuillères de fécule de maïs
sel
poivre

Portez le bouillon de poulet à ébullition (vous pouvez aussi opter pour de l'eau).
Au point d'ébullition, plongez-y la poule après l'avoir assaisonnée.
Nettoyez les légumes et découpez-les en julienne. Incorporez-les et laissez mijoter le tout 30 minutes.
Fouettez ensemble la crème et les œufs, incorporez la farine et mélangez énergiquement.
Ajoutez ce mélange à la poule qui mijote. Mélangez.

ANGUILLES AU VERT D'OVERMERE-DONK

1 kg d'anguilles nettoyées et coupées
50 g de beurre
25 cl de bière Malheur 6
le jus d'un demi-citron
2 jaunes d'œufs
3 échalotes
un bouquet composé de bettes, céleri, thym, laurier, persil, cerfeuil, cresson, oseille, persil plat, coriandre
eau
farine

Faites fondre le beurre dans une poêle et faites-y revenir les échalotes émincées.
Ajoutez les tronçons d'anguilles, assaisonnez puis arrosez de bière.
Laissez mijoter durant environ 10 minutes. Ensuite enlevez les anguilles du jus.
Pendant ce temps, hachez finement votre bouquet au mixeur.
Mouillez d'eau pour obtenir plus de jus et de couleur.
Déposez un essuie sur un saladier.
Versez-y les herbes et repliez l'essuie pour former un baluchon.
Essorez en tordant l'essuie au-dessus du saladier.
Versez les herbes essorées dans le jus, faites bouillir, ajoutez le jus des herbes et faites bouillir à nouveau.
Liez avec un peu de fécule de maïs et rectifiez l'assaisonnement, déposez vos anguilles dans le jus et servez.

Glace aux cuberdons d'Eeklo

40 cl de lait entier
25 cl de crème
100 g de sucre
3 jaunes d'œufs
20 cuberdons (minimum)

Mettez 2 c. à s. de lait dans un bol. Faites-y fondre les cuberdons au bain-marie pour obtenir un sirop.
Battez les jaunes d'œufs avec le sucre.
Ajoutez le lait tout en continuant à remuer et laissez chauffer durant une dizaine de minutes.
Ajoutez ensuite le sirop puis la crème battue en chantilly.
Passez à la sorbetière durant minimum 50 minutes.

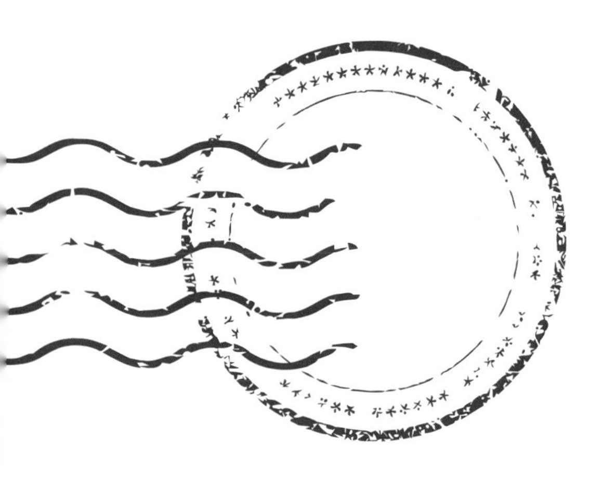

Anguilles de Berlare à la crème

1 kg d'anguilles nettoyées et coupées
50 g de beurre
25 cl de bière Steendonk
le jus d'un demi-citron
3 échalotes
persil
25 cl de crème

Faites fondre le beurre dans une poêle et faites-y revenir les échalotes émincées.
Ajoutez les tronçons d'anguille et faites-les dorer.
Déglacez à la bière puis ajoutez la crème.
Laissez cuire jusqu'à ce que la sauce soit liée (surveillez vos anguilles).
Hachez finement le persil et saupoudrez-en généreusement vos anguilles saucées.

SOUPE À L'OIGNON AU FROMAGE D'ALOST

0,5 kg d'oignons
1 petite pomme de terre
1,5 blanc de poireau
2 l de bouillon de légumes
4 œufs
fromage râpé
4 biscottes
100 g de hachis de porc
1 c. à s. de beurre

Coupez la pomme de terre en petits morceaux.
Émincez les oignons et ajoutez-les à la pomme de terre.
Coupez les poireaux finement et ajoutez-les aux autres légumes. Faites fondre un peu de beurre dans une casserole et étuvez les légumes pendant environ 3 minutes.
Ajoutez 1,5 l de bouillon.
Salez et poivrez.
Faites mijoter sans couvercle pendant environ 30 minutes.
Préparez de petites boulettes avec le hachis et cuisez-les dans le reste du bouillon.
Passez le potage au mixeur.
Servez le potage garni d'une biscotte sur laquelle vous aurez cassé l'œuf cru et semé le fromage râpé après y avoir ajouté les boulettes.

LAPIN AU PAIN D'ÉPICES DE LEBBEKE

1 lapin d'environ 1 kg
farine
2 oignons
beurre
2 bouteilles de Rodenbach
2 tranches de pain d'épices Vondelmolen
4 grandes échalotes coupées grossièrement
40 g de moutarde De Lelie

Assaisonnez et farinez les morceaux de lapin.
Coupez grossièrement les oignons.
Faites fondre le beurre dans une casserole assez large et colorez-y vos morceaux de lapin de tous les côtés.
Ajoutez les oignons et les échalotes.
Déglacez avec la bière.
Ajoutez les tranches pain d'épices enduites de moutarde.
Laissez mijoter à feu moyen 90 minutes sans couvercle.

CARBONNADES FLAMANDES

1 kg de viande de bœuf coupée en blocs identiques
beurre
3 c. à s. de farine
2 bouteilles de bière Cnudde brune
2 c. à s. de cassonade
3 dl d'eau
2 oignons hachées grossièrement
thym et laurier
1 tranche de pain blanc
moutarde

Prenez une poêle à rôtir et une marmite.
Faites fondre le beurre dans la poêle.
Assaisonnez la viande et saisissez-la de tous les côtés jusqu'à l'obtention d'une belle croûte croustillante. Saupoudrez-la ensuite de farine.
Mettez votre viande dans la marmite et saupoudrez à nouveau de farine.
Faites blondir les oignons dans le jus de cuisson.
Lorsqu'ils sont dorés, ajoutez un peu d'eau pour détendre la sauce.
Ajoutez ces oignons dans la marmite.
Ajoutez la bière et la cassonade et mélangez.
Ajoutez également le thym et le laurier.
Laissez cuire à feu doux durant 60 à 90 minutes.
Après cuisson, déposez la tartine enduite de moutarde dans la casserole et laissez fondre 3 à 4 minutes avant de servir.

BOUILLIE DE RIZ À LA FLAMANDE (RIZ AU LAIT COMME À GAND)

200 g de riz à grains ronds ou de riz pour dessert
200 ml de crème entière
1 l de lait
1 gousse de vanille
safran
150 g de sucre
cassonade
beurre

Faites chauffer le lait et la crème et ajoutez-y le sucre.
Rincez le riz.
Coupez la gousse de vanille en deux et grattez-en la chair à l'aide d'1 c. à c.
Incorporez-la à votre lait.
Ajoutez le riz et le safran.
Cuisez à feu doux durant 35 minutes.
Enlevez le riz de la source de chaleur et ajoutez-y une cuillère à soupe de beurre pour obtenir une consistance bien onctueuse.
Saupoudrez de cassonade.

PÂTE À TARTINER AU SPÉCULOOS DE LEMBEKE

Pour 1 pot de taille moyenne :
40 cl de lait concentré non sucré
200 g de spéculoos Lotus

Réduisez les spéculoos en miettes dans un blender. Faites chauffer le lait concentré non sucré sans porter à ébullition. Hors du feu, ajoutez les miettes de spéculoos au lait concentré et remuez bien. Versez dans le pot et laissez refroidir à température ambiante.

ANVERS

La province d'Anvers, avec en son sein la métropole scaldienne, peut se targuer d'un dynamisme hors pair. À tous les niveaux.

Dans le cadre de la gastronomie, elle développe un entrain qui fait s'interroger le quidam sur ce que les restaurateurs ingurgitent pour tenir la distance.

Ainsi, le secteur horeca y connaît un dynamisme constant et présente une capacité d'innovation sans fin.

On ne compte plus le nombre d'entrepreneurs comptant dans leur patrimoine personnel plusieurs établissements (pas simplement deux ou trois mais parfois jusqu'à sept ou huit) tous différents dans leur conception, leur stratégie, leur public cible et leur design.

C'est étourdissant.

Les produits de la province sont également de la partie. Duvel, Bolleke et autres asperges participent à une fête permanente de la gourmandise.

Chaque année a ainsi lieu « Antwerpen Proeft » (Anvers déguste!), une série de journées pendant lesquelles plus de 100 000 amateurs se laissent aller à la « dolce vita » anversoise.

ŒUFS POCHÉS AUX ASPERGES DE MALINES

4 œufs
1 kg d'asperges
4 c. à s. de vinaigre
beurre
crème fraîche
céleri
persil

Faites bouillir l'eau avec du sel et ajoutez-y le vinaigre.
Cassez les œufs un à un dans un petit plat.
Plongez-les dans l'eau un à un juste avant le point d'ébullition et laissez-les-y durant 2 à 3 minutes. Épluchez les asperges.
Coupez-les en petits morceaux et cuisez-les légèrement dans le beurre durant environ 5 minutes.
Ajoutez un peu de vinaigre ainsi qu'1 cuillère à soupe de crème.
Disposez les asperges sur les assiettes et déposez-y délicatement les œufs pochés.
Garnissez d'un peu de céleri et de persil.

POTAGE D'ASPERGES DE MALINES

2 bottes de grosses asperges blanches
beurre
1 l d'eau
1 c. à s. de bouillon de volaille en poudre
1 dl de crème
1 oignon
1 pomme de terre
noix de muscade
cerfeuil

Nettoyer les asperges et coupez-en l'extrémité inférieure.
Mettez les épluchures des asperges avec le bouillon dans une casserole et laissez cuire 30 minutes.
Coupez finement vos asperges mais conservez-en quelques-unes entières.
Épluchez la pomme de terre et l'oignon et coupez-les en morceaux.
Faites chauffer 1 cuillerée à soupe de beurre dans une casserole profonde et étuvez les asperges avec la pomme de terre et l'oignon.
Assaisonnez de sel, de poivre et de noix de muscade.
Versez le bouillon aux épluchures d'asperges sur les légumes étuvés et laissez mijoter environ 35 minutes.
Ne couvrez pas.
Mixez votre potage et ajoutez-y la crème.
Coupez les asperges entières en deux et déposez-les dans le potage.
Servez avec un peu de cerfeuil.

ASPERGES DE MALINES À LA FLAMANDE

1 botte d'asperges de Malines
4 œufs cuits dur
180 g de beurre
1 botte de persil
sel, poivre et noix de muscade

Nettoyer les asperges à l'aide d'un économe.
Plongez-les dans de l'eau froide et faites cuire durant 15 minutes.
Faites fondre le beurre.
Écrasez les œufs et hachez le persil à part.
Laissez égoutter les asperges et déposez-les sur l'assiette. Assaisonnez.
Retirez le beurre du feu et ajoutez-y les œufs écrasés ainsi que le persil.
Nappez vos asperges de sauce et servez immédiatement.

CÔTES DE PORC À LA DUVEL

4 belles côtes de porc
100 g de lard
4 échalotes
250 g de pleurotes
0,5 l de bière Duvel
½ botte de persil plat
beurre
sel et poivre

Assaisonnez bien la viande.
Faites fondre un peu de beurre et rôtissez la viande de tous les côtés.
Coupez les pleurotes, les échalotes et le lard en morceaux puis ajoutez-les à la viande.
Déglacez le tout à la Duvel, réduisez la chaleur et laissez mijoter de 30 à 40 minutes.
Garnissez de persil finement haché.

Potée à l'anversoise

500 g de ragoût de bœuf
1 ris de génisse
200 g de foie de génisse
1 rognon de bœuf
1 morceau de pancréas de génisse
1 c. à s. de cassonade
4 oignons
10 cl d'Élixir d'Anvers
100 g de beurre
thym
laurier
poivre
sel

Faites chauffer le beurre et faites-y revenir les morceaux d'oignon émincés et le ragoût de bœuf coupé en dés. Saupoudrez de cassonade.
Faites prendre couleur et assaisonnez-la de sel, de poivre du moulin, de thym et de laurier.
Laissez mijoter une demi-heure après avoir ajouté un peu d'eau ou de bouillon pour empêcher le mélange de sécher.
Pendant ce temps, coupez en morceaux le rognon bien nettoyé, le pancréas et le ris.
Coupez le foie en lamelles.
Au bout de la demi-heure de cuisson, ajoutez-les à la viande.
Goûtez et rectifiez l'assaisonnement. Mouillez avec l'Élixir d'Anvers et couvrez. Laissez mijoter une demi-heure de plus.

POTAGE AU CHOU-FLEUR

1 chou-fleur
30 g de beurre
1 oignon
1 blanc de poireau
1 à 2 c. à c. de curry
4 dl de bouillon de poulet
2 dl de crème
sel
poivre

Coupez le chou et le poireau en petits morceaux et hachez l'oignon finement.
Étuvez le chou et l'oignon dans un peu de beurre et assaisonnez de sel, de poivre et de curry.
Mouillez de bouillon et de crème et laissez cuire environ 10 minutes.
Passez la soupe au mixeur.
Servez-la décoré d'un peu de curry.

TIRAMISU OUDEN ADVOKAAT DE SAINT-NICOLAS

1 boîte de boudoirs
du véritable cacao
500 g de mascarpone
du café fort
10 c. à s. de Ouden Advokaat de Saint-Nicolas
5 œufs
6 c. à s. de sucre

Séparez les jaunes d'œufs des blancs et fouettez-les séparément avec 3 c. à s. de sucre.
Mélangez-y le mascarpone lorsque vous aurez fait du jaune d'œuf une belle mousse compacte.
Ajoutez délicatement les blancs.
Versez le café et l'advokaat dans un plat et déposez-y les boudoirs.
Disposez-les en rang en laissant un petit espace entre eux.
Nappez le tout de mélange de mascarpone et recommencez l'opération.
Placez le tiramisu 1 nuit dans le réfrigérateur.
Saupoudrez généreusement de cacao avant de servir.

FILET D'ANVERS

1 beau filet d'Anvers d'1 kg
2 dl d'eau
sel
500 g de sucre brun
2 échalotes
beurre
thym
laurier
poivre en grains
muscade
2 dl de bière Cuvée Modeste De Koninck

Faites fondre le beurre et colorez-le à feu modéré.
Assaisonnez généreusement la viande (sel, poivre, thym, laurier et noix de muscade).
Prolongez la cuisson durant 3 minutes puis laissez braiser à feu doux durant 7 à 8 minutes.
Surveillez la cuisson suivant le format de votre filet.
Incorporez ensuite les échalotes finement émincées et le sucre.
Retournez votre filet et augmentez légèrement la chaleur puis laissez braiser à feu doux durant 7 à 8 minutes.
Sortez la viande et laissez-la reposer.
Entretemps, augmentez à nouveau la chaleur et déglacez le jus de cuisson à la bière.
Déliez bien le jus au fouet et laissez chauffer durant 3 ou 4 minutes.
Ajoutez l'eau puis laissez cuire durant 5 minutes supplémentaires.
Coupez la viande en tranches moyennes ou fines selon votre goût et servez-la nappée de sauce.

SALSIFIS DE LEEST À LA FLAMANDE

1 kg de salsifis de Leest
100 g de crème fraîche liquide ou épaisse
2 dl de bouillon de volaille (préparé)
3 c. à s. de persil plat finement ciselé
2 c. à s. de jus de citron
4 pincées de noix de muscade râpée
sel
poivre noir du moulin

Épluchez les salsifis à l'aide d'un économe et plongez-les au fur et à mesure une terrine remplie d'eau froide citronnée.
Dès qu'ils sont tous épluchés, retirez-les de la terrine et rincez-les. Égouttez-les.
Portez ensuite un grand volume d'eau salée à ébullition et plongez-y ensuite les salsifis pendant 10 minutes.
Pendant la cuisson des salsifis, mélangez dans une casserole le bouillon de volaille avec la crème fraîche et faites chauffer la préparation à feu doux en remuant.
Faites ensuite réduire de moitié en ajoutant le sel, le poivre et la noix de muscade râpée. Mélangez constamment.
Égouttez les salsifis et disposez-les dans un plat de service préchauffé.
Nappez les salsifis de sauce à la crème et semez le plat de persil finement ciselé.
Servez rapidement et bien chaud.

Profiteroles à la glace de Tielen

6 œufs (1 œuf = 50 g)
1 jaune d'œuf supplémentaire dilué dans un peu d'eau
267 g d'eau
120 g de beurre
180 g de farine à pâtisserie
glace vanille Ijsboerke
sauce au chocolat

Faites bouillir l'eau et ajoutez le beurre.
Ajoutez la farine et mélangez à l'aide d'une spatule jusqu'à obtention d'une masse homogène. La pâte doit se détacher du récipient.
Versez la pâte dans un robot, mettez-le en marche et ajoutez les œufs un à la fois.
Remplissez une douille avec la pâte et dressez de petites noix sur du papier cuisson.
Badigeonnez-les d'un peu de jaune d'œuf.
Cuisez les profiteroles 20 à 30 minutes (en fonction de leur taille) dans un four préchauffé à 180 °C.
Éteignez le four. Laissez-y les profiteroles pendant 10 minutes avec la porte entrouverte.
Coupez les profiteroles en deux, glissez-y un peu de glace vanille et nappez-les de sauce au chocolat.

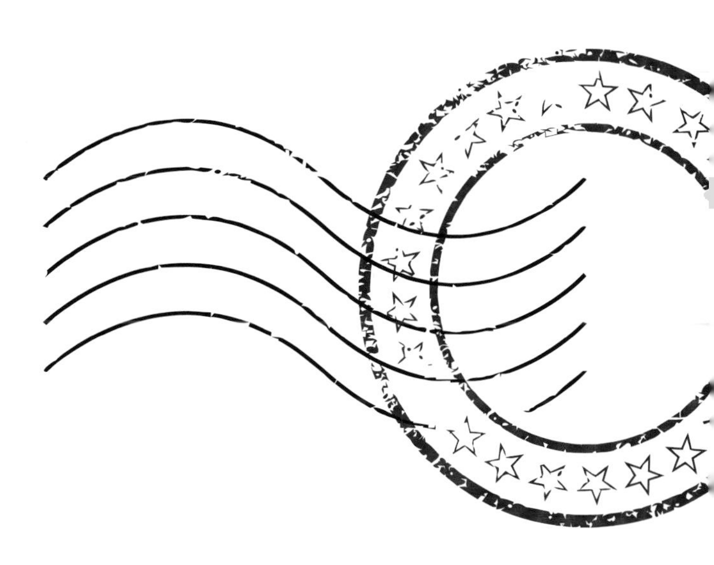

BELEGEN
In eiken vaten gelagerd
Vieilli en fûts de chêne
Smeets
RW

LIMBOURG

« La Province proche et accueillante », tel est le leitmotiv limbourgeois.
Une province où les habitants « chantent » leur langue en une douce mélodie, bizarrement montante à la fin des phrases.
Une province historiquement riche, touchée par l'aventure minière et l'immigration italienne, où l'on servait une nourriture qui « tient au corps ».
Ce ne sont pas des lopettes, les Limbourgeois. Cela avale du hochepot, du genièvre et du café corsé.

Mais la province proche, proche des Pays-Bas aussi, entonne aussi des hymnes culinaires d'une grande finesse, avec comme représentants inattendus, mais ô combien appréciés d'un monde vinicole épaté … des vins belges !
Goûtez-moi donc un chardonnay du Château Genoels-Elderen : le Limbourg est un eldorado pour le pionnier vinicole.

PORC AUX LENTILLES À LA CAMPINOISE

beurre
4 belles côtes de porc de 250 g
25 cl de crème fraîche
15 cl d'eau
persil finement haché

Pour les lentilles :
400 g de lentilles
1 carotte
1 pomme de terre
1 l d'eau
sel et poivre
beurre

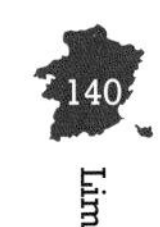

Une heure avant la cuisson, sortez la viande du réfrigérateur.
Faites fondre le beurre à feu modéré jusqu'à l'obtention d'une couleur noisette et d'une structure mousseuse.
Assaisonnez la viande, déposez-la dans la poêle et, en fonction de l'épaisseur, laissez-la cuire 2 à 3 minutes.
Retournez la viande et laissez-la cuire encore 3 minutes.
Ôtez la viande de la poêle et réservez-la sous une feuille d'aluminium.
Déglacez la poêle à l'eau.
Démêlez le jus de cuisson à l'aide d'un fouet.
Ajoutez la crème et liez le tout.
Servez la sauce sur le porc, saupoudrez de persil et placez les lentilles à côté.

Faites tremper les lentilles durant 1 heure dans l'eau froide puis égouttez-les.
Coupez la pomme de terre, l'oignon et la carotte en dés.
Faites mijoter les légumes.
Ajoutez les lentilles, assaisonnez et ajoutez 1 litre d'eau.
Laissez cuire durant environ 25 minutes.

Potée limbourgeoise
(hete bliksem)

1,5 kg de pommes de terre Bintje
500 g de pommes douces
200 g de lard maigre fumé
50 g de beurre
sel
poivre
noix de muscade
8 boudins noirs

Épluchez les pommes de terre et détaillez-les grossièrement.
Coupez les pommes en tranches après les avoir pelées et épépinées. Assaisonnez.
Mettez le tout dans une grande casserole en fonte et couvrez à moitié d'eau.
Incorporez le lard.
Laissez mijoter à feu doux durant 40 minutes.
Sortez le lard, coupez-le en dés puis passez les pommes de terre et les pommes au presse-purée après y avoir ajouté une noix de beurre. Réintégrez les lardons.
Faites cuire les boudins dans un beurre mousseux.

HOCHEPOT DU LIMBOURG

1,5 kg de viande composée de :
ragoût de bœuf
ragoût d'agneau
ragoût de veau
750 g de carottes
1 pied de céleri
1 botte de poireaux
6 oignons
8 navets
750 g de choux de Bruxelles
1 petit chou de Milan
1,5 kg de pommes de terre Bintje
thym
laurier
beurre
persil
sel
poivre

Faites fondre le beurre dans une grande casserole en fonte.
Assaisonnez généreusement la viande.
Placez la viande dans le beurre à feu doux.
Ajoutez les oignons émincés.
Couvrez d'eau après avoir intégré le thym et le laurier.
Laissez cuire le tout à feu doux.
Coupez vos légumes en julienne et incorporez-les.
Couvrez et laissez mijoter à feu doux durant 90 minutes.
Écumez régulièrement.
Ajoutez les pommes de terre coupées en dés et prolongez la cuisson encore durant une demi-heure.
Persillez pour faire joli.

SPÉCULOOS À LA MODE DE HASSELT

1 kg de farine
600 g de cassonade brune
400 g de beurre
2 œufs
3 c. à s. de cannelle
1 c. à c. de bicarbonate de soude
250 g d'amandes effilées
2 gouttes d'extrait naturel d'amandes amères

Faites tremper les amandes dans l'eau bouillante.
Émondez-les puis passez-les au mixeur.
Mélangez la farine, la cassonade, la cannelle, les amandes effilées, le bicarbonate de soude et l'extrait naturel d'amandes.
Ajoutez le beurre coupé en morceaux et les œufs.
Formez une grosse boule de pâte que vous placerez dans un endroit frais pendant une nuit (au moins).
Formez des pâtons allongés de 50 g environ et abaissez-les jusqu'à environ 1,5 cm d'épaisseur.
Beurrez et farinez la plaque de cuisson et déposez vos pâtons en les espaçant suffisamment.
Cuisez à 180 °C pendant 30 minutes.

Crêpes au genièvre à la myrtille de Hasselt

8 crêpes
2 jaunes d'œufs
4 c. à s. de genièvre à la myrtille
4 dl de crème
8 petits spéculoos de Hasselt
cassonade
quelques fruits rouges

Placez les spéculoos émiettés à la main dans un récipient avec les fruits. Mélangez pour que les spéculoos soient bien imbibés de jus des fruits.
Étendez le mélange sur les crêpes et placez-les, repliées, dans un plat à four.
Fouettez la crème et mélangez-la aux jaunes d'œufs et au genièvre.
Versez sur les crêpes et saupoudrez de cassonade.
Placez sous le gril. Surveillez et sortez le plat lorsque la sauce commence à gratiner.
Vous pouvez aussi flamber les crêpes au genièvre.

BISCUITS D'ACHEL (LIEVERKOEKJES)

1 feuille de pâte feuilletée
8 abricots secs
confiture d'abricots
1 c. à s. de noix concassées
fromage Achelse Blauwe
1 œuf

Battez les œufs.
Découpez des disques de pâte feuilletée de 5 à 6 cm de diamètre et dorez-les à l'œuf battu.
Déposez sur chaque disque de pâte 1 c. à c. de confiture d'abricots, un demi-abricot sec et une noisette de fromage.
Saupoudrez de noix broyées.
Couvrez avec un autre disque, scellez, dorez à l'œuf battu.
Cuisez une feuille de papier cuisson durant 15 minutes à 180 °C.

HASSELT-COFFEE

8 morceaux de sucre
crème fraîche
15 cl de café
15 cl de genièvre de Hasselt

Faites chauffer le genièvre à feu doux avec le sucre dans une casserole.
Mélangez jusqu'à ce que le sucre soit bien dilué.
Versez le café noir sur le mélange chaud.
Versez le tout dans un verre et nappez de crème fraîche légèrement fouettée.

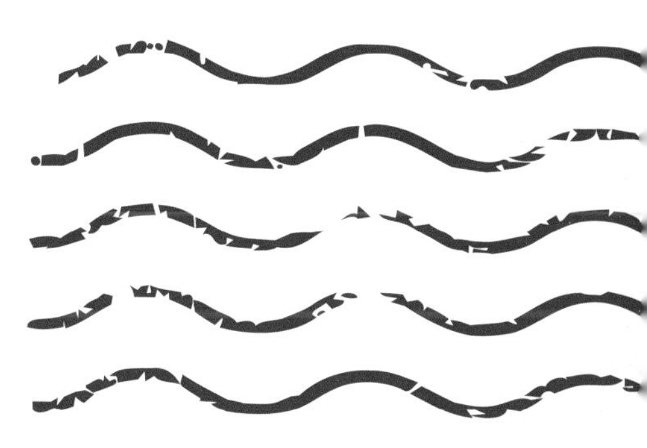

Carbonnades de porc à la campinoise

1 kg de viande de porc coupée en blocs identiques
beurre
3 c. à s. de farine
2 bouteilles de bière Achel brune
3 dl d'eau
2 oignons
thym et laurier
1 tartine de pain blanc
moutarde
3 c. à s. de cassonade

Prenez une poêle à rôtir et une marmite.
Faites fondre le beurre dans la poêle.
Assaisonnez la viande et faites-la revenir de tous les côtés jusqu'à l'obtention d'une belle croûte croustillante. Saupoudrez-la ensuite de farine.
Mettez votre viande dans la marmite et saupoudrez-la à nouveau de farine.
Faites blondir les oignons dans le jus de cuisson.
Lorsqu'ils sont dorés, ajoutez un peu d'eau afin de détendre la sauce.
Ajoutez les oignons à la viande.
Ajoutez ensuite la bière et la cassonade.
Ajoutez enfin le thym et le laurier.
Laissez cuire à feu doux durant 60 minutes.
Déposez la tartine enduite de moutarde sur le tout et laissez fondre durant 3 à 4 minutes avant de servir.

FILET DE SANDRE AUX ÉPINARDS ET AUX HERBES DU MAASLAND

600 g de filet de sandre avec la peau
farine
2 bouquets d'épinards
100 g de lardons
lardons
½ citron
beurre
crème fraîche
sel de la Meuse (ou autre)
un bouquet aromatique d'herbes de la Meuse
(ou bouquet garni au choix)
poivre
persil

Étuvez les épinards avec les lardons.
Faites fondre le beurre à feu moyen dans une poêle antiadhésive.
Salez et poivrez le sandre puis roulez-le dans la farine.
Ajoutez le bouquet d'herbes.
Cuisez le sandre côté arête vers le bas durant 2 minutes à feu modéré.
Retournez le poisson et poursuivez la cuisson côté peau pendant 2 minutes environ.
Incorporez la crème 1 minute avant la fin de la cuisson.
Mouillez de jus du citron.
Servez saupoudré de persil.

POIRES POCHÉES AU SIROP

4 poires
50 g de sirop de poires
30 cl de genièvre à la poire Massy
200 g de sucre
4 c. à s. de café fort Maes du Pays de Loon
1 spéculoos de Hasselt
1 citron

Faites bouillir l'alcool avec le sucre, le café, le sirop de poire et le jus du citron.
Plongez-y les poires pelées et laissez-les cuire à feu doux environ 20 minutes.
Laissez refroidir les poires dans le sirop obtenu.
Égouttez-les.
Saupoudrez de spéculoos émietté à la main et servez avec une boule de glace au spéculoos.

GRAND CRU
CHIMAY
Fromage Trappiste
FROMAGE À PÂTE MI-DURE
HALFHARDE KAAS
• Pères Trappistes •
Grande Réserve

HAINAUT

Le Hainaut joue la carte de la simplicité dans le « tapage » gastronomique.
Fort de ses traditions formidables, terre de patrimoines culturels, il cultive sa bonhommie à travers ses recettes, ses plats où le folklore n'est jamais loin et l'appartenance très discutée.
Les spécialités locales font l'objet de légendes incrustées dans l'inconscient collectif. Elles se verbalisent de génération en génération, en gagnant à chaque transmission un peu plus de caractère mystique.
Des recettes ancestrales se perpétuent ainsi, évoluant au fil des « adaptations » issues du « secret » familial.

Quel choc pour moi de découvrir une recette comme les « rastons al'Petote » ou le porc « al'berdouille », qui m'ont immédiatement fait penser à des délices fumants sortis de marmites villageoises. Harry Potter n'est pas loin dans cette manière de donner des noms formidables, teintés d'accents locaux délicieux.
Mais que l'on ne s'y méprenne pas. La jeune génération nous font saliver dans un feu d'artifice d'audace. Certains restaurateurs, fiers de leurs origines et soucieux d'apporter un vent de nouveauté dans les assiettes, m'ont réellement bluffé ces derniers temps.
Faites donc un tour du côté d'Écaussines.

LAPIN TOURNAISIEN

1 lapin d'1 kg
20 pruneaux
2 oignons
1 c. à s. de cassonade
thym
laurier
sel, poivre
beurre
eau

Assaisonnez les morceaux de lapin et faites-les roussir dans une casserole en fonte.
Coupez et incorporez les oignons.
Retournez les morceaux.
Mouillez d'eau et ajoutez la cassonade. Ajoutez aussi le thym et le laurier.
Couvrez et laissez mijoter à feu doux environ 90 minutes.
En fin de cuisson, ajoutez les pruneaux que vous aurez préalablement fait gonfler dans de l'eau bouillante.
Vérifiez la consistance. Le lapin est prêt quand la viande se détache des os.
Vérifiez l'assaisonnement.

Escavèche de Virelles

1 kg de truite
2 c. à s. de farine
des petits oignons
thym
cornichons
laurier
estragon
vinaigre de vin
50 cl de vin blanc
10 feuilles de gélatine
baies de genévrier
poivre en grains
persil
1 citron

Découpez et lavez les poissons à l'eau froide.
Essuyez-les convenablement puis passez-les dans la farine assaisonnée de sel et poivre.
Faites-les frire dans le beurre chaud, puis laissez refroidir.
Mettez dans une casserole le vinaigre, le vin, le persil, le thym, les cornichons, l'estragon, le laurier, les baies de genévrier et le poivre en grains.
Portez à ébullition quelques minutes.
Dans une autre casserole, faites un roux.
Filtrez le vinaigre chaud et ajoutez-le au roux.
Portez à ébullition et incorporez les feuilles de gélatine préalablement trempées dans de l'eau froide.
Mettez les rondelles d'oignons et les tranches du citron dans une terrine en grès.
Disposez-y les morceaux de poisson et mouillez avec la préparation au vinaigre.
Couvrez et réservez au frais pendant trois jours au moins.

CÔTES DE PORC AL'BERDOUILLE (MONS)

4 belles côtes de porc
100 g de beurre
100 g de farine
40 cl de bouillon
5 échalotes
2 dl de vin blanc
2 c. à s. de liqueur de chicons Gervin
1 c. à s. de vinaigre
8 cornichons
8 c. à s. de moutarde Mignault
sel
poivre du moulin
persil

Faites fondre 50 g de beurre dans une poêle.
Assaisonnez les côtes de porc et faites-les dorer des deux côtés.

Pour la sauce:
Préparez un roux blond (mélangez au fouet 50 g de beurre avec 50 g de farine)
Ajoutez le bouillon au roux blond.
Assaisonnez.
Dès que le mélange est homogène, portez-le à ébullition tout en mélangeant.
Émincez les échalotes et faites-les faire revenir dans une noix de beurre.
Incorporez-y le vin blanc, le vinaigre, la liqueur puis le roux blond, la moutarde et les cornichons taillés en dés.
Servez les côtes de porc généreusement nappées de sauce. Garnissez d'un peu de persil finement haché.

BEIGNETS DU CARNAVAL DE BINCHE

200 g de farine
80 g de maïzena
3 œufs
75 g de beurre
4 c. à s. d'Eau de Villée
2 sachets de sucre vanillé
1 c. à s. de sucre en poudre
1 pincée de sel fin
0,5 sachet de levure chimique
1 citron
sucre glace
huile de friture

Dans une terrine, mélangez la farine, la maïzena, les sucres et le sel.
Incorporez progressivement les œufs ainsi que le beurre à température ambiante.
Ajoutez l'Eau de Villée.
Farinez-vous les mains et pétrissez l'ensemble jusqu'à l'obtention d'une masse homogène.
Ajoutez la levure, le zeste de citron finement râpé et le jus du citron.
Ne pétrissez pas la pâte trop longtemps.
Formez de petites boulettes de pâte que vous laisserez tomber dans l'huile chaude (180 °C).

GRAND CRU
CHIMAY
CHIMAY
Fromage Trappiste
FROMAGE À PÂTE MI-DURE
HALFHARDE KAAS
CHIMAY

MACARONS DE BEAUMONT

150 g de poudre d'amande
200 g de sucre
100 g de sucre impalpable
5 blancs d'œufs
100 g de farine
des amandes entières mondées
2 gouttes d'extrait naturel d'amandes amères
2 œufs pour la dorure

Mélangez la poudre d'amandes avec 150 g de sucre en poudre et deux blancs d'œufs.
Ajoutez 50 g de sucre, le sucre impalpable, l'extrait et trois blancs d'œufs battus en neige homogène.
Ajoutez de la farine en suffisance pour que la pâte ne soit ni trop molle ni trop dure et que les macarons ne se désintègrent pas à la cuisson.
Dressez les macarons à la poche à douille sur un papier cuisson et dorez-en le dessus à l'œuf.
Déposez une amande entière sur chacun des macarons.
Cuisez au four préchauffé à 180 °C durant 15 minutes environ.

RASTONS AL'PETOTE (CRÊPES AUX POMMES DE TERRE DU BORINAGE)

4 pommes de terre
2 oignons
1 c. à s. de farine
sel
poivre
beurre

Râpez les pommes de terre et les oignons à l'aide d'une mandoline et mélangez-les.
Farinez, salez, poivrez.
Formez de petites crêpes d'environ 6 à 7 centimètres de diamètre.
Faites fondre le beurre dans une poêle.
Faites-y dorer vos rastons de chaque côté.

Canard de Templeuve à l'orange

2 beaux magrets de canard Legrand
50 g de beurre
10 g d'amandes
le jus de 4 oranges pressées
10 cl de Mandarine Napoléon
2 grosses oranges
sel et poivre

Passez les amandes et le beurre dans un mixeur jusqu'à l'obtention d'une pâte homogène.
Assaisonnez les magrets et saisissez-les dans une poêle puis badigeonnez-les de pâte avant de les enfourner durant 10 minutes à 160 °C.
Déglacez ensuite les sucs avec la Mandarine Napoléon et le jus d'orange puis, en fin de cuisson, ajoutez-y les oranges coupées en quartiers.
Servez les magrets et nappez-les de jus.

SOUFFLÉS AU DÉLICE DE PÊCHE DE JUMET

25 cl de lait
5 cl de liqueur Délice de pêche GDC
40 g de farine
5 blancs d'œufs
beurre
100 g de sucre en poudre

Mettez le lait à chauffer. Portez à frémissement.
Dans un saladier, mélangez au fouet 50 g de sucre avec les jaunes d'œufs.
Ajoutez la farine en mélangeant puis versez-y le lait bien chaud.
Dans le poêlon, chauffez à nouveau sans arrêter de tourner.
Au point d'ébullition, ôtez du feu et versez dans un saladier.
Battez ensuite énergiquement les blancs et incorporez-y le reste du sucre. Continuez à fouetter avec conviction.
Ajoutez la liqueur et les blancs battus à la crème et mélangez délicatement.
Après avoir rempli les moules à soufflés, préalablement beurrés, enfournez-les dans un four préchauffé à 180 °C durant 30 minutes.

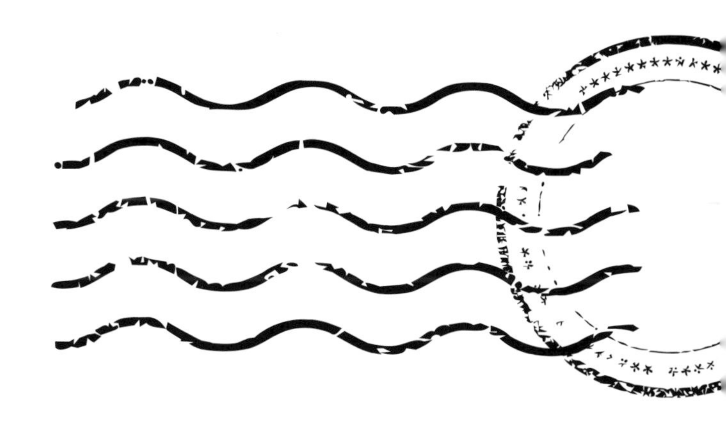

SOUPE DE CHIMAY

200 g de fromage Chimay Grand Classique
200 g de pain d'épeautre
2 oignons
1 l de bouillon de légumes
huile
sel
poivre

Dans une cocotte, mettez une tranche de pain et une couche de fromage râpé et ainsi de suite jusqu'à terminer par une couche de fromage pour le gratin.
Portez le bouillon de légumes à ébullition puis versez-le dans la cocotte.
Veillez à ce que le pain soit bien mouillé.
Patientez quelques minutes avant de placer la cocotte sous le gril du four préchauffé et surveillez bien la coloration du gratin pour décider de la sortie du four.
Rectifiez l'assaisonnement.

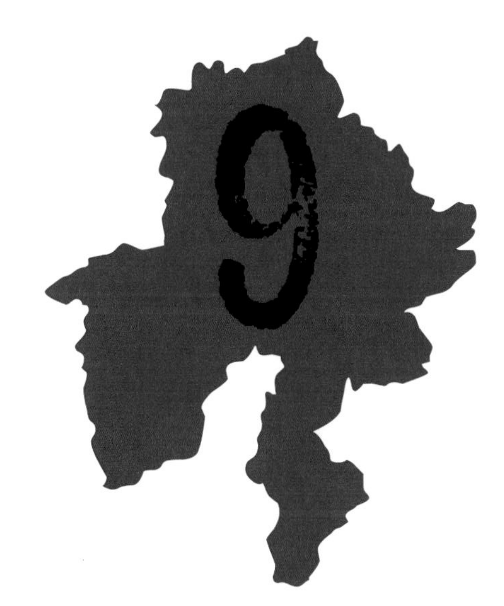

NAMUR

Le Pays des Vallées, des rives mosanes, offre au visiteur une paix, une douceur magnifiquement illustrées dans son logo où figure un fleuve bleu à l'horizon verdoyant et une hirondelle s'amusant à voler contre le vent léger.
Il y a là comme une volupté née des traditions locales, qui se retrouve dans les saveurs des produits du terroir.
Fraises sucrées et foie gras fin se disputent la vedette, avec des mets aussi pittoresques que « li crochon » de Dinant. Les bières, les tartes, tout est dans le goût. Un goût qui ne laisse jamais indifférent. Il n'y a pas de place pour le doute dans cette province qui abrite la capitale wallonne. Le goût et rien que le goût.
En Namurois, nous sommes « au cœur des plaisirs de la bouche ».
On ne saurait mieux dire et quant à moi, je suis pour la diffusion immédiate et non restrictive du pistolet « li crochon ». Mais qu'attendent les responsables pour en faire un nouveau fer de lance, concurrent ludique du hamburger sur la scène de la mondialisation?

COUPE AUX FRAISES DE WÉPION

3 œufs
sucre fin
¼ de l de crème fraîche
petites fraises parfumées de Wépion (à discrétion)
poivre noir et rose

Battez les jaunes d'œufs jusqu'à ce qu'ils soient bien mousseux.
Ajoutez du sucre fin (après avoir vérifié si les fraises sont naturellement très sucrées ou non).
Battez jusqu'au moment où le sucre est complètement fondu.
Fouettez la crème et ajoutez-la progressivement à la préparation.
Versez dans les coupes. Ajoutez les fraises auxquelles vous aurez préalablement donné un petit « coup de fouet » avec un peu de poivre noir et rose.

AVISANCES DE NAMUR

4 feuilles de pâte feuilletée de 15 cm
4 saucisses de porc
jaune d'œuf

Enroulez chaque saucisse dans une feuille de pâte.
Placez-les sur une platine à tarte.
Avec un pinceau, dorez chaque avisance à l'œuf.
Cuisez au four préchauffé à 180 °C durant 25 minutes.

Rôti de porc de Rochefort

1 beau rôti de porc de 2 kg
100 g de jambon fumé
2 gros oignons rouges
250 g cèpes de Bordeaux
0,5 l de bière Trappiste n° 8 de Rochefort
½ botte de persil plat
beurre
sel
poivre

Assaisonnez convenablement la viande.
Faites fondre un peu de beurre et dorez-y la viande de chaque côté.
Coupez les cèpes, les oignons et le jambon fumé et le lard en morceaux puis ajoutez-les.
Déglacez le tout à la bière, réduisez la chaleur et laissez mijoter la viande de 30 à 40 minutes.
Garnissez de ciboulette finement hachée.

FOIE GRAS D'UPIGNAC AUX AGRUMES

1 orange
1 botte de basilic
160 g de foie gras cru d'Upignac
1 dl de fond de canard
15 cl de Mandarine Napoléon
sel
poivre de Cayenne
farine

Pelez les oranges à vif.
Coupez l'orange en quartiers et gardez le jus obtenu à la découpe.
Confectionnez la sauce avec le jus d'orange, le fond, le basilic giselé et la Mandarine.
Assaisonnez de sel et de poivre de Cayenne.
Assaisonnez, farinez et poêlez les escalopes de foie gras cru dans une poêle chaude sans matière grasse, 1 minute de chaque côté.
Servez nappé de sauce et accompagné des quartiers d'orange.

Tourte aux bettes

bettes (feuilles et fines côtes 1 à 1,2 kg)
1 feuille de pâte feuilletée
beurre
2 œufs
1 jaune d'œuf
1 dl de crème
1 dl de lait
100 g de fromage râpé
30 g d'aneth
sel et poivre

Lavez les bettes, coupez-les en fins morceaux et faites-les revenir dans un peu de beurre.
Laissez-les mijoter 2 minutes, égouttez-les et laissez-les refroidir.
Mettez les œufs, le jaune, la crème et le lait dans un récipient.
Fouettez le tout et assaisonnez. Ajoutez aussi l'aneth.
Déposez la pâte feuilletée dans le moule (22 cm), pressez-la et piquez-la avec une fourchette.
Répartissez les bettes sur la pâte feuilletée puis versez-y le mélange.
Placez la tourte au four préchauffé à 180 °C durant 35 à 40 minutes.
Après 10 minutes, saupoudrez de fromage pour éviter que cela n'attache.

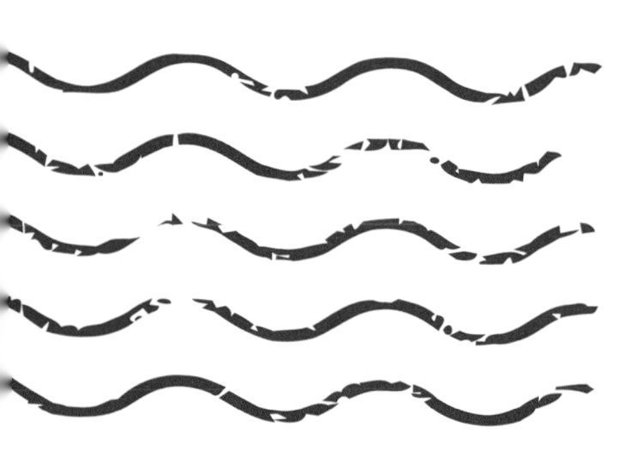

CROUSTILLONS DE MAREDSOUS

8 tranches de fromage de Maredsous
2 grandes tranches de jambon cuit
4 c. à s. de farine
4 c. à s. de chapelure
20 g de beurre
2 œufs battus
sel
poivre noir
cure-dents

Coupez les tranches de jambon en deux.
Glissez une demi-tranche de jambon cuit entre deux tranches (plus grandes) de fromage de Maredsous.
Scellez à l'aide de cure-dents.
Passez le futur croustillon dans la farine, dans le mélange d'œufs assaisonné et enfin dans la chapelure.
Faites fondre le beurre dans une poêle et dorez-y vos croustillons pendant 2 minutes de chaque côté.
Descellez.

CROQUETTES DE FROMAGE-ROCHEFORT

150 g de fromage Rochefort Tradition râpé
100 g de beurre
50 g de farine
0,5 l de lait
sel
poivre
noix de muscade

Pour la panure :
1 bol de mie de pain rassis
2 c. à s. de farine
2 œufs
sel
poivre

Faites fondre le beurre.
Une fois qu'il se met à crépiter doucement, incorporez la farine et mélangez.
Laissez cuire à feu doux durant 2 minutes.
Ajoutez le lait tout en mélangeant.
Une fois que vous aurez obtenu un appareil épais, ajoutez le Rochefort râpé.
Assaisonnez.
Étendez votre préparation sur 2 ou 3 centimètres d'épaisseur dans un plat huilé, couvrez ; lorsque le mélange est refroidi, placez-le au réfrigérateur, toujours couvert, durant une nuit.
Farinez-vous les mains et confectionnez des croquettes. Roulez-les ensuite dans la farine, les œufs battus et la chapelure.
Laissez sécher puis passez dans la friture bien chaude à 180 °C.

COUQUE DE DINANT

250 g de miel liquide
350 g de farine
un mélange de poivre, de muscade râpée, de clou de girofle et
1 petite c. à c. de gingembre moulus
1 c. à c. de cannelle
sel
eau

Faites une fontaine dans la farine, ajoutez-y une pincée de sel, les épices et la cannelle.
Chauffez le miel jusqu'à tiédissement et versez-le dans la fontaine.
Pétrissez en ajoutant de l'eau jusqu'à l'obtention d'une pâte bien lisse.
Sur une plaque à four, placez une feuille de papier aluminium beurrée et disposez-y les formes que vous aurez données à votre pâte (par exemple avec des moules pré-farinés en bois ou métal et dont la profondeur n'excède pas 10 millimètres – dans ce cas, laissez reposer un peu pour que la forme « prenne »).
Démoulez et placez sur une plaque à four beurrée.
Laissez la pâte se raffermir durant une demi-heure puis enfournez à 220 °C durant 25 minutes au moins, jusqu'à ce que les couques soient bien dures.

Pistolets li crochon
(Dinant)

10 beaux grands pistolets du boulanger
500 g de crème de Maredsous
500 g de jambon
50 cl de crème fraîche
sel
poivre

Coupez le sommet des pistolets et enlevez-en la mie de manière à ce qu'ils soient bien évidés.
Faites fondre la crème de Maredsous à feu doux dans une casserole.
Incorporez-y la crème tout en mélangeant.
Versez-y le jambon préalablement coupé en petits dés de 7 à 8 millimètres et mélangez-les à l'ensemble.
Fourrez vos pistolets de ce mélange et refermez-le.
Enfournez à 180 °C durant environ 8 minutes.

CÔTE DE PORC CROSS ET BLACKWELL

1 c. à s. de beurre
3 c. à s. de piccalilli Bister
4 belles côtes de porc
25 cl de crème
15 cl d'eau

Une heure avant la cuisson, sortez la viande du réfrigérateur.
Faites fondre le beurre à feu modéré jusqu'à l'obtention d'une couleur noisette et d'une structure mousseuse.
Assaisonnez les côtes de porc, déposez-les dans la poêle et, en fonction de l'épaisseur, laissez cuire 2 à 3 minutes.
Retournez les côtes de porc et laissez-les cuire 3 minutes de plus.
Ôtez la viande de la poêle et réservez-la sous une feuille d'aluminium.
Déglacez la poêle à l'eau.
Démêlez le jus de cuisson l'aide d'un fouet.
Ajoutez 3 c. à s. de piccalilli (avec les morceaux) et la crème et liez le tout.
Servez la sauce avec la viande. Saupoudrez-le éventuellement de persil finement haché.

HERVE REMOUDOU
L'EXQUIS
L'EXQUIS
PIQUANT - PIKANT
HERVE REMOUDOU
L'EXQUIS
HERVE REMOUDOU
L'EXQUIS
L'EXQUIS
PIQUANT - PIKANT
HERVE REMOUDOU
L'EXQUIS
PIQUANT - PIKANT

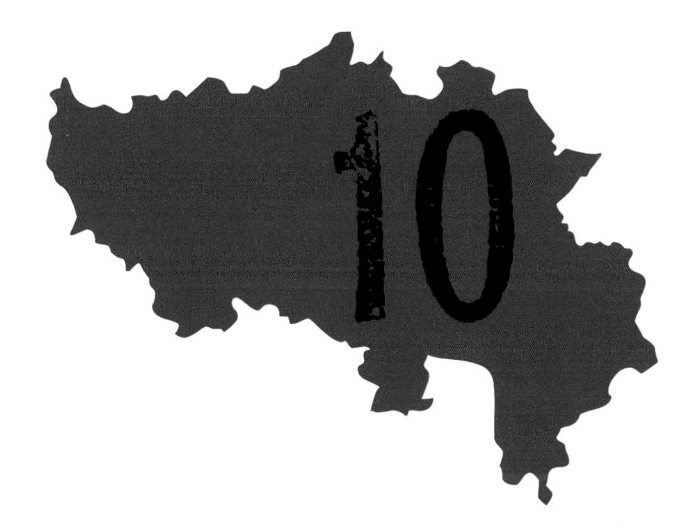

LIÈGE

Le Pays des Saveurs Gourmandes aime à faire la propagande de son terroir et de ses propagandistes.
Il dispose à cet effet d'arguments culinaires plutôt consistants, diversifiés et qualitatifs. Fromages, bières, viandes se bousculent au sein d'une myriade de confréries gourmandes.
Cette volonté de « faire savoir son savoir-faire » se décline en événements qui tout au long de l'année invitent à la flânerie gustative.

La cité ardente et sa province où « il ne manque que vous ! » génère marchés du terroir et bio, balades et villages gourmands, fêtes aux potirons et aux fruits, week-ends champignons, festivals des saveurs, rendez-vous des gourmands, et autres « menus » plaisirs.
Vous le constatez, l'offre est abondante et généreuse.
La cité ardente et sa province n'attendent plus que vous.

Boulets sauce lapin

800 g de hachis porc/bœuf
4 tranches de pain de mie
1 oignon haché
1 oignon emincé
1 bouquet de persil finement haché
2 œufs
lait
sel
poivre
muscade
cassonade
thym
laurier
véritable sirop de Liège
farine
25 cl d'eau

Assaisonnez la viande.
Hachez finement l'oignon de même que le persil.
Trempez le pain dans le lait.
Mélangez tous les ingrédients : viande, pain, oignon, persil, œufs
Pétrissez jusqu'à l'obtention d'une masse homogène.
Formez des boulets de belle dimension (boules de pétanque)
Faites-les revenir à la poêle et déglacez avec l'eau.
Dans une casserole, faites revenir l'oignon émincé, ajoutez la cassonade, le thym, le laurier et 3 c. à s. de véritable sirop de Liège.
Préparez un peu de farine pour épaissir le cas échéant.
Placez la viande dans la sauce et laissez cuire durant 30 minutes environ.

FRICASSÉE DES FAGNES

1 kg de mélange de chanterelles et de girolles
250 g de lard fumé maigre
une gousse d'ail écrasée
50 g de beurre ramolli
50 cl de cidre Poiré Stassen
poivre du moulin
1 oignon
sel

Après brossage, nettoyez les champignons et coupez-les en dés.
Dans une poêle, avec le beurre, faites chauffer le lard coupé en dés lui aussi.
Déglacez avec un rien d'eau, ajoutez les oignons et les champignons.
Assaisonnez.
Ajoutez maintenant le Poiré et l'ail.
Couvrez à moitié et laissez cuire jusqu'à évaporation quasi complète du cidre.

GAUFRES DE LIÈGE

500 g de farine
300 g de sucre perlé
sel
200 g de beurre
50 g de levure fraîche
75 g de sucre
2 œufs
2 c. à c. d'essence de vanille
5 g de miel

Délayez la levure dans de l'eau tiédie puis, juste avant d'y mettre le sucre, la vanille, le miel, les œufs et une noisette de beurre, ajoutez-la à environ 300 g de farine.
Mélangez jusqu'à l'obtention d'une masse homogène. Incorporez ensuite le reste de la farine et une pincée de sel.
Ajoutez le reste du beurre et laissez reposer 15 à 20 minutes.
Pétrissez à présent la pâte. Juste avant la fin de cette opération, ajoutez le sucre perlé.
Confectionnez de petites boulettes de 100 g de pâte environ.
Laissez monter 15 à 20 minutes après avoir recouvert la pâte d'un essuie puis faites bien dorer dans un gaufrier chaud.

SALADE LIÉGEOISE

500 g de Bintje
persil haché
1 oignon haché
250 g de lard salé ou fumé
500 g de haricots verts (princesse)
2 échalotes
1 c. à s. de vinaigre de vin

Faites cuire les pommes de terre non épluchées dans une casserole d'eau bouillante pendant environ 15 minutes.
Après les avoir équeutés, faites cuire les haricots dans une autre casserole d'eau bouillante, quelques minutes seulement.
Épluchez les pommes de terre à l'économe.
Placez-les dans un plat en compagnie des haricots.
Faites fondre les lardons à la poêle dans un peu de beurre puis ajoutez-y les échalotes et l'oignon.
Déglacez le jus de cuisson à feu vif avec le vinaigre de vin.
Assaisonnez puis versez les lardons et le jus sur les pommes de terre et les haricots.
Saupoudrez de persil et mélangez.

MARCASSIN DU PAYS DE HERVE À LA JÉRÔME

4 steaks de marcassin
100 g de beurre
4 cuillères de sirop de Liège
2 dl de fond de gibier
100 g de Herve doux (chambré)

Dans une poêle, faites fondre du beurre à feu moyen jusqu'à l'obtention d'une couleur noisette.
Assaisonnez la viande, déposez-la dans la poêle et laissez cuire 2 ou 3 minutes.
Retournez-la et faites-la cuire 2 ou 3 minutes de plus.
Ôtez la viande de la poêle et réservez-la sous une feuille d'aluminium.
Déglacez la poêle avec le fond de gibier.
Démêlez le jus de cuisson à l'aide d'un fouet.
Faites réduire de moitié.
Entre-temps, vous aurez mis votre viande dans un plat à four.
Déposez sur chacun des steaks une belle tranche de Herve et surmontez d'une petite cuillère de sirop de Liège.
Mettez sous le gril jusqu'à faire fondre le fromage. Surveillez !
Servez avec la sauce.

LACQUEMANTS DE LIÈGE

Pour les galettes (60):
25 g de levure fraîche
600 g de farine pâtissière
1 jaune d'œuf
200 g de beurre
100 g de cassonade
2,5 dl de lait
50 g de sucre
une pincée de sel
1 petit tube de liqueur de vanille

Pour le sirop:
100 g de cassonade
125 g de sucre
50 g de miel liquide
100 g de beurre
10 g d'eau
fleur d'oranger
cannelle

La pâte:
Délayez la levure dans le lait puis versez le mélange sur la farine.
Ajoutez le sel, le sucre, la vanille, la cassonade et le beurre en parcelles.
Ajoutez le jaune d'œuf et pétrissez jusqu'à ce que la pâte ne colle plus.
Laissez monter durant 30 à 40 minutes pour faire doubler de volume.

Le sirop:
Mélangez tous les ingrédients du sirop et portez le mélange à ébullition puis laissez refroidir au réfrigérateur.
Formez des boulettes de pâte et allongez-les à 10 centimètres environ.
Faites chauffer le fer à fines mailles à 200 °C durant 15 à 20 minutes et cuisez les galettes.
Laissez refroidir les galettes, fendez-les et fourrez-les de sirop.

Belegen
Hasseltse
Graanjenever
Vieux genièvre de grain
In eiken vaten gelagerd
Vieilli en fûts de chêne
GRAND CRU
CHIMAY
Fromage trappiste
HALFHARDE KAAS

HERVE CHAUD SUR CANAPÉ

1 fromage de Herve piquant
1 œuf
4 tranches de pain de mie
ciboulette
persil
sel
poivre

Retirez la croûte du fromage.
Écrasez-le à l'aide d'une fourchette.
Intégrez le jaune d'œuf. Assaisonnez.
Ajoutez aussi le persil et la ciboulette hachés très finement. Mélangez tout cela.
Tartinez le pain.
Battez le blanc d'œuf en neige et humectez-en les tartines.
Enfournez à 180 °C durant 10 minutes (l'œuf doit être doré).

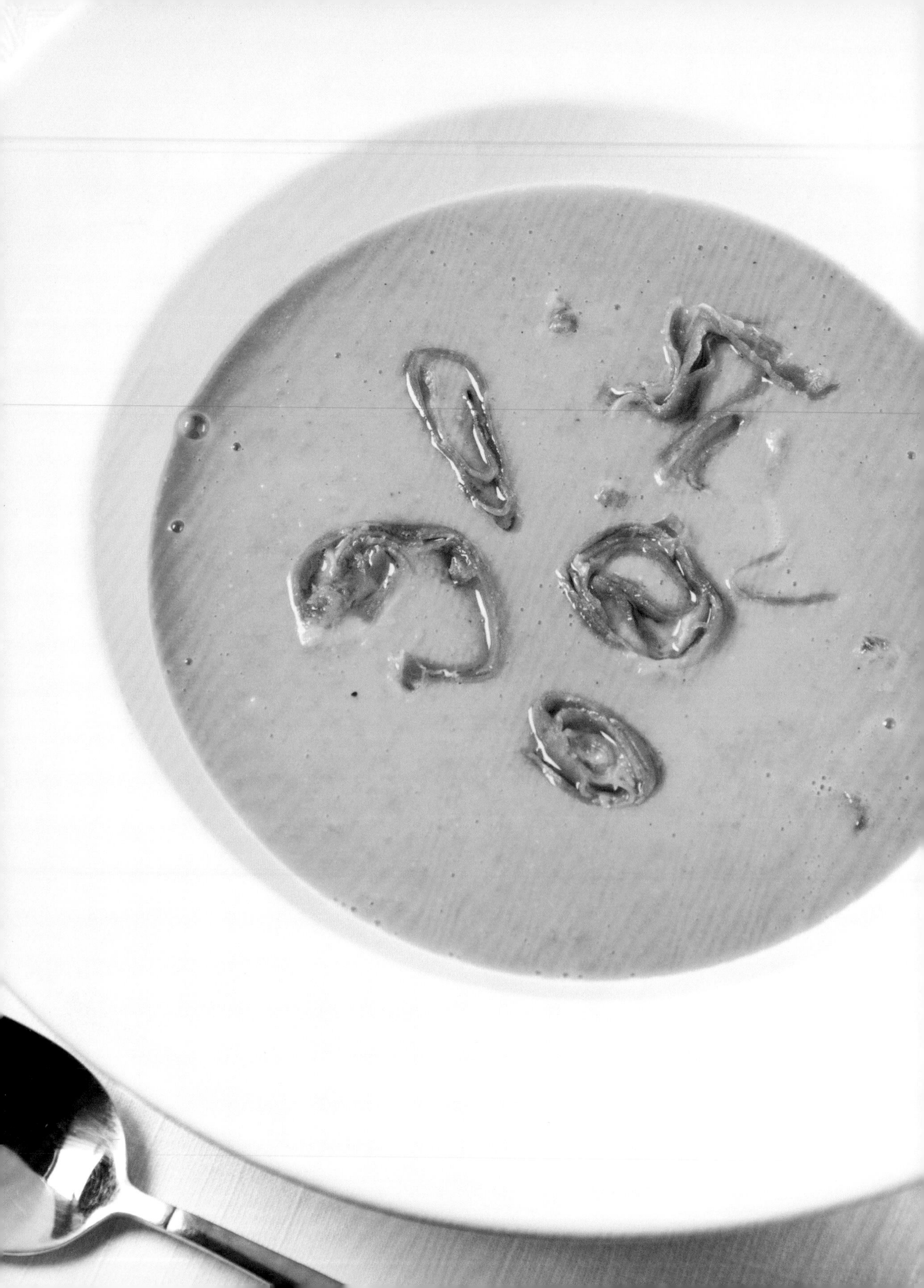

SOUPE PETITS POIS ET LARDONS DU CONDROZ LIÉGEOIS

1 kg de petits pois frais
1 botte de poireaux
2 pommes de terre
1 oignon
1,5 l de bouillon de légumes
100 g de lardons
sel et poivre

Mettez les lardons dans le bouillon et faites bouillir environ 5 minutes.
Coupez les légumes en dés et assaisonnez.
Étuvez les légumes avec les pois dans un peu de beurre.
Retirez les lardons. Déglacez avec le bouillon et laissez cuire environ 20 minutes.
Mixez la soupe, déposez les lardons dans une assiette creuse et versez la soupe par-dessus.

Steak au poivre crème au whisky de Grâce-Hollogne

4 beaux steaks
300 g de champignons
1,5 dl d'eau
1,5 dl de crème
un filet de Whisky Belgian Single Malt
beurre
1 c. à c. de poivre vert en grains
persil

Assaisonnez la viande et faites fondre un peu de beurre.
Faites cuire les steaks dans le beurre bien doré.
Coupez les champignons en lamelles et faites-les cuire dans la même poêle.
Déglacez avec le whisky.
Mélangez bien le jus de cuisson.
Ajoutez l'eau et mélangez.
Incorporez la crème et le poivre vert et réduisez de moitié de manière à obtenir une sauce bien liée.
Servez les steaks avec la sauce et garnissez de persil.

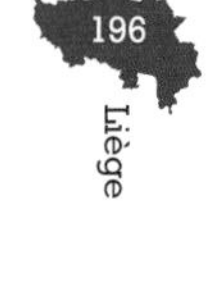

TARTE AU RIZ DE VERVIERS

Pour la pâte :
150 g de farine
0,8 dl de lait
1 œuf
20 g de sucre
15 g de levure
35 g de beurre
sel

Pour le riz :
0,5 l de lait
80 g de riz
sel
80 g de sucre vanillé
2 œufs

La pâte :
Réalisez la pâte avec tous les ingrédients.
Formez un pâton de 300 g et laissez-le lever 20 minutes.
Étalez le pâton au rouleau et foncez chaque platine préalablement graissée.
Piquez le fond à l'aide d'une fourchette.
Préchauffez le four à 180 °C.

Le riz :
Faites bouillir le lait avec une pincée de sel.
Réduisez le feu et incorporez le riz que vous aurez préalablement rincé à l'eau froide.
Laissez ensuite cuire 50 minutes en mélangeant régulièrement.
Ajoutez le sucre vanillé à mi-cuisson.
Laissez refroidir.
Quand votre riz est bien froid, battez les blancs en neige et incorporez-les délicatement au riz.

Répartissez ensuite le mélange sur la tarte.
Dorez la surface avec les jaunes d'œufs battus.
Laissez cuire 25 minutes à 200 °C.

DAME BLANCHE AU CHOCOLAT DE BATTICE

Ingrédients (pour 4 personnes) :
150 g de chocolat noir 70% Intense de Galler
4 grosses boules de glace à la vanille
crème chantilly sucrée
4 meringues

Pour la meringue :
4 blancs d'œufs
200 g de sucre glace
papier cuisson

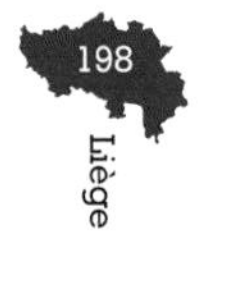

Faites fondre le chocolat au bain-marie.
Mettez une boule de glace à la vanille dans chaque coupe.
Disposez les meringues dans les quatre coupes.
Nappez de chocolat fondu et surmontez de crème chantilly pour les amateurs.
Préchauffez le four à 100 °C.
Battez les blancs jusqu'à l'obtention d'une masse compacte et ajoutez-y le sucre.
Dressez à l'aide d'une poche à douille sur du papier cuisson et laissez cuire environ une heure et demie à 100 °C.
Laissez refroidir dans le four à porte ouverte.

0
REG.

LUXEMBOURG

Orval, Saint-Hubert, le jambon d'Ardenne, tous les produits de la chasse : sangliers, chevreuils, cerfs et les produits de la pêche : truites, brochets.
La Gaume, avec son pâté épatant. Ses potées. Sa choucroute qu'on chouchoute.
Je me vois désolé de contester un principe administratif, mais le Luxembourg n'est pas une province. C'est une ode à la nature qui ne nous appartient pas, pauvres terriens que nous sommes.
Il se complaît dans une magnificence qui n'a d'égal que son équilibre naturel, qui se déploie, vibrant, fort et distancié des choses matérielles, devant nos yeux éblouis.
Celui qui n'a pas compris ce que veulent dire, ce qu'induisent les notions de terroir, d'équilibre naturel, de forces tranquilles dégagées par un espace à demi-sauvage n'a qu'à bien se tenir devant les exploits répétés d'une faune, d'une flore n'ayant de cesse que de vouloir se parer de ses plus beaux atours.
Vous l'aurez compris, la gastronomie en province du Luxembourg n'est rien d'autre qu'un maillon d'une chaîne où la Nature s'impose mais s'offre aussi.

Chou doré de Gaume

1 chou cabus
500 g de ragoût de mouton
500 g de ragoût de porc
100 g de lard fumé
50 g de saindoux
3 oignons
2 échalotes
1 feuille de laurier
1 branche de thym
poivre du moulin
sel

Faites blanchir le chou nettoyé, salé et émincé dans une grande casserole d'eau bouillante.
Égouttez.
Faites fondre le saindoux dans une autre casserole.
Coupez le lard en lardons et faites-les revenir dans le saindoux fondu.
Ajoutez la viande coupée en dés, les oignons, les échalotes, le thym et le laurier.
Assaisonnez et ajoutez le chou réservé.
Laissez braiser à feu doux durant 2 heures.

Mignons de porc Villers-devant-Orval

1,2 kg de filet mignon de porc
400 g de pommes de terre
100 g de fromage de l'abbaye Notre-Dame d'Orval
30 cl de bière brune d'Orval
100 g de beurre
3 échalotes
2 œufs
30 cl de crème fraîche épaisse
persil haché
sel et poivre

Coupez le porc en 12 médaillons et assaisonnez-les.
Coupez le fromage en fins bâtonnets et faites-le fondre.
Préparez un appareil avec le fromage, 10 cl de bière, les œufs battus et 5 cl de crème.
Bien mélanger !
Poêlez les médaillons au beurre.
Garnissez chaque médaillon d'une couche d'appareil au fromage et disposez-les dans un plat à gratin.
Faites-les gratiner rapidement dans un four à 250 °C.
Préparez la sauce : faites suer les échalotes hachées dans une noix de beurre.
Ajoutez le restant de bière puis laissez réduire de moitié.
Ajoutez le restant de crème et laissez encore réduire. Passez au chinois.
Cuisez les pommes de terre durant 20 minutes dans une grande casserole d'eau salée.
Égouttez-les et faites-les revenir au beurre. Ajoutez le persil haché.

PETITS GRIS À L'ORVAL

6 escargots par personne (petits gris)
avec leur coquille
1 bouteille de Trappiste Orval
herbes aromatiques (thym, laurier, romarin)
beurre d'ail et de cerfeuil
bouillon de poulet

Mettez les escargots à dégorger dans un seau avec une bonne poignée de sel durant 48 h.
Nettoyez soigneusement les escargots dégorgés.
Mettez-les à cuire durant 10 min dans de l'eau bouillante.
Retirez-les de leur coquille.
Amenez doucement la bière à ébullition.
Plongez-y les escargots et ajoutez un peu de bouillon. Ajoutez une poignée d'herbes aromatiques (thym, laurier, romarin).
Laissez mijoter doucement durant 3 heures.
Faites l'appoint de liquide avec du bouillon.
Égouttez les escargots et replacez-les dans leur coquille.
Obturez la coquille avec du beurre d'escargot.
Mettez au four pour réchauffer durant une dizaine de minutes et servez bien chaud avec du pain.

BEIGNETS AU JAMBON D'ARDENNE

100 g de jambon d'Ardenne
25 cl de bière Rulles blonde
10 g de levure du boulanger
150 g de farine
1 œuf

Détaillez le jambon d'Ardenne en gros bâtonnets.
Préparez une pâte à beignets avec la farine, l'œuf, la levure et la bière.
Trempez les bâtonnets dans cette pâte et passez à la friture à 180 °C.

BOUDIN DE MARCASSIN AUX PLEUROTES ET COMPOTE DE POMME (BOUILLON)

8 boudins de marcassin aux pleurotes Istace de Bouillon
2 kg de pommes à cuire: reinettes, Jonagold, etc.
1 pointe de cannelle
2 noix de beurre

Enlevez le cœur des pommes au vide-pomme et épluchez-les.
Coupez-les en quartiers et faites-les revenir dans un peu de beurre chaud.
Ajoutez une pointe de cannelle, un filet d'eau et couvrez.
Laissez mijoter à couvert durant environ 30 minutes.
Faites chauffer un peu de beurre dans une poêle et poêlez les boudins.
Quand ils sont cuits, faites-les égoutter sur du papier absorbant.
Servez les boudins avec la compote.

Mignons de sanglier à la Chouffe

1 kg de filet mignon de sanglier
2 carottes
épices (thym et laurier)
1 oignon
1 boîte de champignons (à émincer)
4 tranches de lard
20 petits oignons au vinaigre
3 à 4 c. à s. de farine
0,5 l d'eau
0,5 l de bière Chouffe
1 c. à s. de bouillon de bœuf concentré
2 c. à s. de persil haché
sel et poivre
beurre

Coupez la viande en morceaux de 4 x 4 cm.
Faites fondre un peu de beurre. Assaisonnez (sel, poivre, thym, laurier) la viande et cuisez jusqu'à obtention d'une belle couleur dorée.
Parsemez de farine et déglacez avec l'eau, la bière et le bouillon.
Mélangez bien, la viande doit être recouverte.
Faites mijoter pendant environ 2 heures. Coupez les champignons en 4 et les carottes en grosse brunoise.
Après une heure et demie de cuisson, ajoutez les légumes coupés ainsi que les oignons au vinaigre et les tranches de lard.
Dressez et parsemez de persil haché.

SABAYON GRATINÉ À L'ARDEUR ROUGE

8 figues
5 jaunes d'œufs
20 cl de vin blanc
1 trait de liqueur Ardeur Rouge des Ardennes
80 g de sucre
1 dl de crème fraîche
beurre

Faites fondre le beurre avec un peu d'Ardeur Rouge.
Coupez les figues en 4 (6 ou 8) et arrosez-les de beurre fondu.
Déglacez à l'Ardeur Rouge et disposez dans des assiettes creuses.
Battez la crème fraîche de moitié (pas trop épaisse).
Dans une casserole, battez les jaunes d'œufs, le vin blanc et le sucre en mousse à feu doux.
Ajoutez la crème fraîche battue et mélangez bien.
Répartissez le sabayon sur les figues et gratinez à l'aide d'un chalumeau de cuisine.

CERF DE SAINT-HUBERT AUX MIELS D'ÉTALLE

4 beaux steaks de cerf
1 c. à s. de bouillon de bœuf concentré
1 dl de crème
2 dl d'eau
2 c. à s. de vinaigre de miel d'Étalle
2 c. à s. de miel d'Étalle
4 figues

Coupez les figues en petits dés, étuvez-les dans un peu de beurre et ajoutez-y rapidement la confiture de figues ainsi que le vinaigre de miel.
Faites cuire la viande 3 minutes de chaque côté. Ajoutez les figures puis déglacez avec le vinaigre de miel et l'eau.
Ajoutez-y ensuite le bouillon, réduisez de moitié et ajoutez la crème.
Servez les steaks de cerf nappés de sauce.

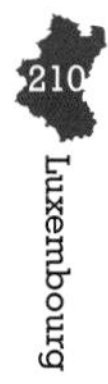

BROCHETTES DE JAMBON D'ARDENNE ET LÉGUMES

quelques tranches de beau jambon d'Ardenne fumé au bois
un choix de légumes :
blancs de poireau
asperges
tomates cerises
carrés de poivron rouge
carrés de poivron vert
pruneaux

Faites cuire préalablement tous les légumes ainsi que les pruneaux.
Formez des brochettes en alternant légumes enrobés de jambon d'Ardennes, carrés de poivron tomates cerises et pruneaux.
Placez la brochette sur le barbecue.

POMMES DE GAUME RÔTIES À LA CASSONADE

4 pommes de Gaume
4 tranches de pain d'épices
50 g de pâte d'amandes
4 c. à c. de cassonade
4 c. à c. de miel
poivre rose

Pelez les pommes et enlevez-en le cœur à l'aide d'un vide-pomme.
Remplissez la cavité de miel puis obturez les deux extrémités avec la pâte d'amandes.
Placez les tranches de pain d'épices dans un plat allant au four.
Disposez-y les pommes. Saupoudrez de cassonade et de quelques grains de poivre rose.
Enfournez à four préchauffé à 180 °C durant 25 minutes.

RW

LES INCLASSABLES

Dans chaque province, on me prétendra que j'avais toutes les raisons de classer ces plats dans le chapitre correspondant... à cette province.
D'autres me diront qu'ils font un peu figure de parents pauvres dans l'arbre généalogique de nos habitudes culinaires.
La consultation de cette liste suffira pourtant à couper court à toute médisance à propos de ces recettes « orphelines » qui n'ont enfanté que des rejetons ravis.
J'en suis.

BOULETTES SAUCE TOMATE

1 kg de hachis de porc et de veau
1 gousse d'ail
1 jaune d'œuf
sel et poivre
2 pincées de noix de muscade moulue
beurre
1 boite de coulis de tomates (500 g)
1 échalote
origan, basilic, laurier

Mettez le hachis dans un plat.
Pelez et hachez finement la gousse d'ail.
Ajoutez l'ail et le jaune l'oeuf au hachis, salez, poivrez et ajoutez la noix de muscade.
Mélangez bien le tout avec les mains. Formez des boulettes.
Faites fondre un peu de beurre dans une poêle et faites dorer les boulettes.
Pendant ce temps, faites rissoler l'échalote finement hachée dans un petit morceau de beurre et ajoutez le coulis de tomates.
Assaisonnez (sel, poivre, origan, basilic et laurier).
Déposez les boulettes dans la sauce tomate et faites mijoter pendant 30 à 40 minutes.

CROQUETTES DE VIANDE

500 g de hachis porc-veau
2 œufs
sel et poivre
chapelure
50 g de coriandre hachée
2 jaunes d'œufs battus
beurre
1 oignon
100 ml de crème
1 c. à s. de moutarde

Mélangez le hachis avec les œufs, le sel, le poivre et la coriandre.
Réalisez de petites boulettes et imbibez-les de jaune d'œuf battu.
Ensuite, passez-les dans la chapelure (double couche).
Cuisez-les à la friture (160 °C) environ 3 à 4 min.
Faites dorer l'oignon coupé fin dans un peu de beurre, ajoutez 1 c. à s. de moutarde ainsi que la crème, mélangez le tout consciencieusement et laissez un peu mijoter.
Servez les croquettes avec la sauce.

BLANQUETTE DE VEAU

1 kg de blanquette de veau sans os
1 gros oignon
2 clous de girofle
2 carottes
250 g de tout petits champignons de Paris
250 g de hachis de veau
1 cube de bouillon de volaille
1 bouquet garni (thym, laurier, queues de persil)
sel
poivre

Pour la sauce :
1 jaune d'œuf
10 cl de crème fraîche
le jus d'un demi-citron
30 g de beurre
30 g de farine

Coupez la viande en cubes et déposez-les dans une grande casserole.
Recouvrez d'1 litre d'eau froide puis portez à ébullition.
Pendant ce temps, pelez l'oignon et piquez-y les deux clous de girofle.
Pelez les carottes et coupez-les en rondelles.
Lorsque l'eau bout, écumez en la surface à plusieurs reprises jusqu'à ce qu'elle soit claire.
Ajoutez ensuite l'oignon, les rondelles de carottes, le bouillon cube, le bouquet garni, sel et poivre.
Couvrez partiellement la casserole. Réduisez la chaleur et laissez cuire à petits bouillonnements pendant 45 minutes.
Pendant ce temps, nettoyez les petits champignons.
Confectionnez des billes de la grosseur d'une cerise avec le hachis.
Au bout des 45 minutes de cuisson, ajoutez les champignons et les boulettes dans la casserole et laissez cuire 20 minutes de plus.
Égouttez dans une passoire avec un récipient en dessous pour récupérer le jus de cuisson.
Retirez l'oignon et le bouquet garni.
Dans une casserole, mettez 30 g de beurre à fondre et, lorsqu'il grésille, ajoutez la farine.
Mélangez énergiquement au fouet jusqu'à obtention d'un roux blond.
Ajoutez ensuite petit à petit 30 cl du bouillon de cuisson sans arrêter de fouetter. Laissez cuire quelques instants pour obtenir une sauce onctueuse.
Mélangez dans un bol le jaune d'œuf, la crème fraîche et le jus de citron. Versez le mélange dans la sauce. Mélangez soigneusement et rectifiez l'assaisonnement.
Remettez la viande dans une casserole avec la sauce et réchauffez le tout à feu doux en évitant de faire bouillir.

Chou rouge au vinaigre

1 chou rouge
2 dl de vinaigre d'alcool
1 kg de pommes
cannelle
sel et poivre
100 g de beurre
200 g de sucre brun
1 branche de thym
1 feuille de laurier

Enlevez les premières feuilles du chou rouge.
Coupez le chou en quatre.
Coupez-en le trognon.
Émincez très finement le chou.
Lavez et épluchez les pommes, ôtez-en le cœur.
Coupez les pommes en quartiers.
Faites fondre le beurre dans une casserole.
Ajoutez le chou rouge et les pommes.
Laissez suer pendant 10 minutes.
Salez et poivrez.
Ajoutez la cannelle, le thym et le laurier. Mélangez puis mouillez de vinaigre, ajoutez le sucre et mélangez à nouveau.
Laissez compoter 1 h minimum en faisant attention à ce que le chou ne colle pas dans le fond de la casserole ; dans le cas contraire, ajoutez un peu d'eau.
Au terme de la cuisson, retirez le thym et le laurier.
Rectifiez l'assaisonnement, le sucré et l'acidité.

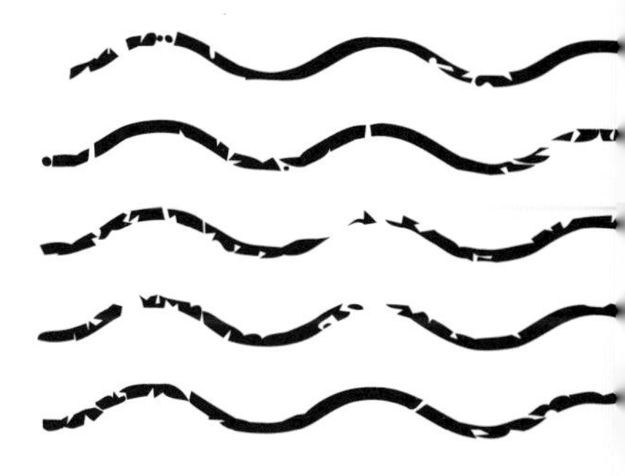

VOL-AU-VENT

1 poulet
1 blanc de poireau
1 branche de céleri
1 oignon
1 carotte
thym
laurier
1 l d'eau
300 g de viande hachée
50 g beurre
50 g de farine
¼ de l de lait
1 tablette de bouillon de poulet
jus de citron
200 g de champignons
4 c. à s. de persil haché

Faites cuire doucement le poulet avec le blanc de poireau, le céleri, l'oignon, la carotte, le thym et le laurier. Assaisonnez (sel et poivre) et laissez cuire 1 heure.
Formez des boulettes avec le hachis et roulez-les dans un peu de farine. Cuisez dans le bouillon de poulet environ 10 minutes.
Prélevez la viande du poulet.
Préparez un roux avec le beurre et la farine et faites-en une béchamel avec le lait et le bouillon.
Ajoutez les champignons coupés et les boulettes de viande et enfin un peu de jus du citron.
Incorporez la viande du poulet.

SOUPE TOMATE AUX BOULETTES

2 oignons
2 pommes de terre
10 tomates
1,5 l d'eau
1 tablette de bouillon de légumes
2 c. à s. de purée de tomates
2 c. à s. de ketchup
3 c. à s. de crème
300 g de viande hachée
sel
poivre
farine
beurre

Coupez les oignons et les pommes de terre en petits morceaux et étuvez-les dans le beurre.
Ajoutez les tomates finement coupées, le ketchup et la purée de tomates.
Ajoutez l'eau et le bouillon de légumes et laissez cuire environ 20 minutes.
Mixez et passez la soupe.
Ajoutez la crème.
Confectionnez des boulettes avec la viande hachéz assaisonnée, farinez-les et faites-en tomber la farine excédentaire.
Faites chauffer la soupe jusqu'au moment où les boulettes remontent à la surface.
Salez et poivrez.

FRITES

1 kg de pommes de terre de type Bintje
huile
gros sel

Chauffez la friteuse à 160 °C.
Épluchez les pommes de terre et coupez-les en frites égales.
Rincez-les à l'eau froide et séchez-les.
Faites-les cuire jusqu'au moment où la matière grasse commence à « siffler » (à 160 °C).
Sortez les frites, secouez-les, laissez un peu refroidir et mettez la friteuse maintenant à 180 °C.
Faites à nouveau cuire les frites, cette fois à 180 °C durant 3 à 4 minutes.
Étendez de l'essuie-tout sur un égouttoir et versez-y les frites.
Secouez bien, salez et servez avec une bonne sauce andalouse.

Sauce andalouse

8 c. à s. de purée de tomates
2 petites c. à c. de sucre
2 c. à s. de mayonnaise
une pointe d'estragon
sel
poivre
1 c. à c. de persil séché

Mélangez convenablement tous les ingrédients.
Placez au réfrigérateur.

Confiture d'oignons

200 g d'oignons rouges
5 g de beurre
50 g de sucre cristallisé
8 cl de vin rouge
4 cl de vinaigre de vin
3 cl de grenadine

Pelez les oignons avec précaution sans les laver, puis émincez-les.
Faites fondre le beurre dans une casserole à fond épais.
Ajoutez l'oignon émincé ainsi que le sucre cristallisé.
Une fois le tout bien fondu, couvrez.
Laissez cuire à feu très doux pendant 30 minutes.
Ajoutez le vin rouge, le vinaigre et la grenadine.
Remettez à chauffer et laissez bouillir durant 30 autres minutes.
Si vous souhaitez la conserver, versez la confiture dans les pots quand elle est encore chaude.

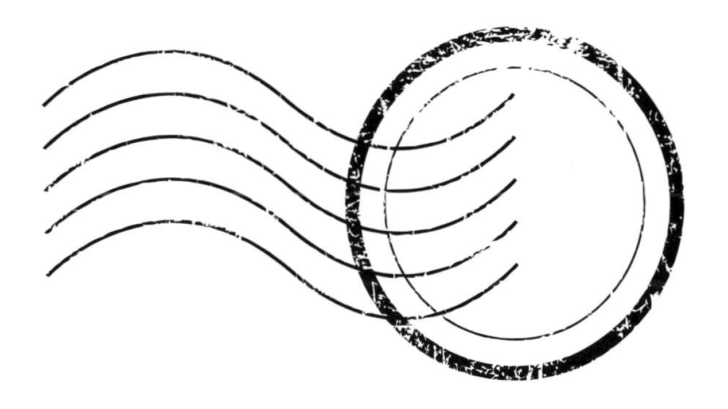

OISEAUX SANS TÊTE

400 g de hachis (porc et veau)
sel et poivre
beurre
4 tranches de rosbif
cresson de fontaine
0,5 bouteille de bière brune
2 echalotes
1 dl d'eau
1 c. à s. de bouillon de bœuf
1 c. à c. de fécule de maïs

Confectionnez des roulades (paupiettes) avec le rosbif et le hachis.
Après les avoir assaisonnées, faites fondre le beurre et cuisez-y les paupiettes.
Hachez et ajoutez l'échalote.
Ajoutez l'eau, la bière et le bouillon et laissez suer 25 minutes.
Ôtez les paupiettes de la sauce et liez celle-ci suivant vos goûts et vos humeurs.
Servez avec le cresson et quelques pommes de terre nature.

Galette des rois

1 feuille de pâte feuilletée
100 g d'amandes broyées
2 gouttes d'extrait naturel d'amandes amères
1 œuf
60 g de beurre ramolli

Mélangez les amandes, l'extrait et le beurre.
Ajoutez l'œuf et mélangez longuement pour obtenir une belle crème.
Coupez votre pâte feuilletée en disques.
Tartinez généreusement chaque disque de frangipane (n'hésitez pas à « déborder ») puis surmontez d'un autre disque.
Scellez (n'oubliez pas la fève !). Piquez le dessus avec une fourchette.
Dorez votre galette à l'œuf et laissez parler vos talents d'artiste en dessinant à la fourchette sur le dessus.
Laissez reposer 5 heures environ avant d'enfourner à 180 °C durant 30 minutes.

GRATIN DE CHOU-FLEUR

1 chou-fleur
75 g de beurre
75 g de farine
125 g de fromage râpé
noix de muscade
sel et poivre
0,75 l de lait

Nettoyez le chou-fleur et coupez-le en petites rosettes.
Faites cuire dans de l'eau salée durant maximum 5 minutes.
Faites fondre le beurre, ajoutez la farine et mélangez jusqu'à l'obtention d'un roux.
Incorporez le lait en mélangeant.
Assaisonnez de sel, de poivre et de noix de muscade.
Égouttez les rosettes de chou-fleur et trempez-les immédiatement dans de l'eau glacée.
Beurrez un plat allant au four, déposez-y les rosettes de chou-fleur et arrosez-les de sauce béchamel.
Saupoudrez de fromage.
Après 15 minutes au four à 180 °C, saupoudrez à nouveau de fromage et remettez le plat durant 5 minutes sous le gril.

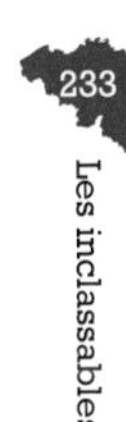

CHOCO À TARTINER

100 g de chocolat fondant
2 dl de lait
250 g de beurre ramolli
sucre

Faites chauffer le lait dans un poêlon.
Ajoutez-y le chocolat.
Mélangez avec conviction jusqu'à intégration complète.
Versez le mélange dans un blender et ajoutez-y 10 c. à s. de sucre.
Ajoutez-y aussi le beurre en parcelles.
Mixez puis versez la pâte dans un récipient que vous conservez au réfrigérateur.

Truffes au chocolat

150 g de chocolat noir
50 g de cacao en poudre
10 cl de crème liquide
50 g de beurre
10 cl de lait
50 g de sucre en poudre

Faites fondre le chocolat avec le lait dans une grande casserole.
Veillez à obtenir une pâte lisse et homogène.
Ajoutez-y le beurre détaillé en noisettes. Mélangez avec conviction.
Coupez le feu et ajoutez le sucre et la crème tout en continuant à mélanger.
Placez le mélange au réfrigérateur durant une nuit.
Formez des quenelles de pâte à l'aide de deux cuillères.
Roulez les quenelles dans le cacao en poudre.

www.lannoo.com

Inscrivez-vous sur notre site internet et nous vous enverrons régulièrement un bulletin d'information vous informant sur nos nouveaux livres et vous proposant des offres intéressantes et exclusives.

Recettes : Albert Verdeyen
Textes : Marc Van Staen
Co-auteur : Gino Laureyssen (Kookeiland)
Photographies : Verne, à l'exception de p. 11, 49, 54, 64, 66, 93, 103, 115, 136, 141, 164, 172, 180, 188, 211 Shutterstock, p. 39 Marc Wauters et p. 30, 94, 231 Stefan Jacobs
Photographie couverture : Johan Jacobs
Graphisme: Combo

Si vous avez des questions ou remarques, vous pouvez contacter notre rédaction:
redactielifestyle@lannoo.com

D/2012/359 – NUR 440 et 442 – ISBN: 978-90-209-2103-8

FRESH
PORK